ÉLAGAGE

Kike

Collection

LES UNS LES AUTRES

dirigée par Germaine Finifter

Dans la même collection

Sarah et l'Ecumeur de rivages (Alain Adaken)

La lettre brûlée (Rolande Causse)

L'herbe de guerre (Xavière Gauthier)

La fille des sables (Jane Hervé et Herma Kervran)

Où sont passés les profs ? (Michel Peyroux)

CES ouvre-toi ! (Gérard Hubert-Richou)

La chasse aux enfants (Bertrand Solet)

© Syros-Alternatives 1992
9 bis, rue Abel Hovelacque
75013 Paris

Hilda Perera

Kike

Traduit de l'espagnol par Nicole Cerceau

SYROS

Illustration de la couverture : Loustal

L'auteur :

Hilda Perera est cubaine. Elle a dix-sept ans lorsque son premier livre *Cuentos de Apolo* parait à la Havane. L'ouvrage, très bien accueilli par la critique et le public (il a été réédité en 1960), est traduit dans les langues de huit républiques de l'Union soviétique entre 1962 et 1965. Après de brillantes études, elle deviendra directeur du département d'espagnol de l'académie Ruston (La Havane), conseiller, pour les actions pédagogiques de la Bibliothèque nationale José Marti (La Havane), et prendra une part très active à la campagne d'alphabétisation.

Parallèlement, Hilda Perera déploie son activité littéraire dans diverses directions. Elle publie des essais dont *une biographie de Abraham Lincoln* qui obtient le Prix de la meilleure biographie décerné par l'institut culturel cubano-nord-américain, des livres de pédagogie pour servir à la campagne d'alphabétisation, des romans, des nouvelles, des recueils de contes dont *Cuentos de Adli y Luas,* lauréat du premier concours national de littérature enfantine organisé par le ministère de la Culture.

Depuis 1971, Hilda Perera vit à Miami, en Floride (U.S.A.) où elle poursuit sa carrière littéraire mais c'est en Espagne que sont publiés ses contes et romans pour enfants. Le Prix Lazarillo de littérature pour la jeunesse organisé par l'institut national du livre espagnol et le Ministère de la culture d'Espagne lui a été décerné en 1975 pour *Cuentos para chicos y grandes* et en 1978 pour *Podrio ser que una vez.*

Kike est, après *Mai,* le quatrième roman de Hilda Perera publié à Madrid

Du même auteur :

Petits ânes, traduit par Pierre Jonquières (Ed. Nathan, Coll. Arc en poche. 1980)

Direction artistique de la collection : Gérard lo Monaco

– Bonjour mesdames, messieurs les passagers. Vous êtes sur le vol 102 de la Compagnie cubaine d'aviation, à destination de Miami.

Je ne vois pas qui parle et l'on ne m'a jamais appelé « monsieur ». Quoi qu'il en soit, je réponds :

– Bonjour.

Mon frère rit et me dit :

– Crétin !

Alors des petites lumières rouges s'allument sur les ailes de l'avion, et la voix annonce :

– Mesdames, messieurs les passagers, veuillez attacher vos ceintures de sécurité.

J'attache ma ceinture, bien que j'aie déjà envie d'aller aux toilettes. Cela m'arrive toujours quand je ne peux pas bouger. Maman dit que, si je suis occupé, je n'ai pas envie de faire pipi. Je regarde donc tout ce qu'il y a autour de moi. J'appuie sur le couvercle de la petite boîte métallique placée sur le bras du siège. Rien. J'appuie plus. Il s'ouvre subitement et je suis couvert de cendres et de mégots. Le bouton rond, qui est à côté, renverse le siège en arrière. Ainsi, j'ai la place d'étirer mes jambes. Je l'essaie trois ou quatre fois.

Sans le faire exprès, je donne des coups de pied sous le siège qui est devant moi. La dame se retourne et me dit :

– Eh, petit ! S'il te plaît, tiens-toi tranquille !

Au plafond, il y a un cercle métallique avec un petit trou. J'essaie de l'atteindre, mais je ne peux pas. Je monte sur le siège et alors j'y arrive. En l'ouvrant entièrement, je sens un très agréable courant d'air froid. Cela enrhume la dame de devant qui se met à éternuer.

Mon frère Toni me dit :

– Reste tranquille. Tu t'agites comme une anguille.

Mon frère m'embête. Tous les frères aînés sont pénibles et rapporteurs.

Pour me distraire, je prends le papier que ma maman a attaché avec une épingle sur la poche de ma chemise et je le déplie. Il est écrit, en haut, en majuscules et souligné deux fois : « APPRENDS CECI PAR

CŒUR. » Lorsque maman veut que je fasse quelque chose, ou bien elle crie, ou bien elle souligne. Je lis ensuite : « Je m'appelle Jesús Andrés Lendián Gómez », comme si j'étais idiot ou que je ne le savais pas, et « j'ai huit ans », ce qui n'est pas vrai, car j'en ai presque neuf. Puis vient la partie que je dois apprendre, bien que je croie la savoir déjà : « Mon grand-père est Francisco Lendián. Il habite au 243, Michigan Avenue, à Miami-Beach. Son numéro de téléphone est le JE2–3054. » Ce qui est attaché au papier n'est pas un passeport, car je n'ai pas de passeport, mais quelque chose qui s'appelle *visa waiver*[1], qui a été très difficile à obtenir. Papa et maman ont fait appel à plein de gens pour qu'ils nous l'envoient, pour mon frère et pour moi. Toni dit que, si je le perds, il me tue. Je ferme les yeux et je répète le numéro de téléphone de mon grand-père. Je n'en suis qu'au quart lorsque l'avion commence à bouger !

— Toni, déjà ?

— Oui, déjà, dit Toni, qui fait toujours comme s'il savait tout.

Maintenant, les moteurs ronflent et l'avion commence à rouler sur la piste. J'en ai mal au ventre. Je colle mon nez sur le hublot pour voir si j'aperçois mon papa et ma maman, mais je vois seulement la terrasse de l'aéroport et des tas de gens qui agitent leur mouchoir. Je prends le mien et je dis au revoir, bien collé contre la vitre. Maman a dit qu'ainsi ils sauraient où nous étions, mais je crois qu'ils ne m'ont pas vu car l'avion roule trop vite. Les maisons, les poteaux et les palmiers défilent à toute allure devant le hublot. Subitement, ça m'arrache l'estomac, comme quand on prend l'ascenseur. Une force me plaque à mon siège. L'avion décolle et, aussitôt, je commence à voir La Havane à l'envers. D'en haut, on dirait un village de petits nains. Les automobiles ressemblent à des jouets et les palmiers à des pinceaux. On ne voit déjà presque plus rien car on entre dans un nuage. Les nuages sont comme de la fumée, de sorte que si l'avion tombe de là-haut il s'écrabouille. Maintenant nous passons dans des nuages noirs qui ressemblent à des montagnes. L'avion traverse un trou d'air et commence à tomber. J'ai peur. J'ai même très peur, mais je ne le dis pas à mon frère. J'avale, et j'avale encore, pour essayer de faire passer la boule que j'ai dans la gorge depuis que je n'ai pas pu apercevoir papa et maman sur la terrasse de l'aéroport. Je fais comme si je regardais par le hublot pour que mon frère ne voie pas que je pleure.

La jeune fille blonde nous explique alors que, « en cas de chute de pression dans la cabine, des masques tombent automatiquement ». Elle en saisit un, qui ressemble à celui dont on s'est servi pour m'anesthésier quand j'ai été opéré des amygdales, et l'applique sur mon visage. Puis elle dit qu'il faut éteindre les cigarettes et respirer normalement. Comme si elle faisait la réclame d'une pâte dentifrice, elle ajoute que, « en cas d'urgence, improbable » – l'urgence, c'est quand l'avion va tomber – « vous devez prendre le gilet de sauvetage qui se trouve sous votre siège ». Elle enfile le sien et dit qu'il ne faut le gonfler qu'après être sorti de l'avion. Je pense qu'il est difficile de gonfler un gilet quand on s'énerve parce que l'avion vient de s'écraser dans la mer. Dans les films, il y a toujours des histoires terribles : tout le monde pleure et crie en même temps. Pour me rassurer, je demande à Toni :

– Que se passerait-il si nous le gonflions dans l'avion ?

– Tu t'empêtrerais dans la porte, idiot. Tu ne vois donc pas que les portes sont très étroites ?

– Et si quelqu'un s'empêtrait, que se passerait-il ?

Mon frère me regarde de travers et me tire la langue.

Maintenant, c'est sûr, si je n'y vais pas, je fais pipi dans mon pantalon. Les toilettes sont en face. À

---

chaque fois que quelqu'un y entre, une lumière s'allume. Quand je veux passer, mon frère me fait un croche-pied pour m'embêter. Heureusement que je me suis retenu à la jambe d'un monsieur placé de l'autre côté du couloir, sinon je tombais. Je ne suis pas le seul à avoir envie. Il y a une très longue queue. Un monsieur, voyant que je fais une drôle de tête, me dit de passer le premier. Les toilettes sont si petites que c'est à peine si l'on peut faire. On ne tire pas la chaîne mais on appuie sur une pédale qui fait énormément de bruit, et le fond de la cuvette s'ouvre. Je me demande si le contenu s'envole dehors. Le savon sort d'un tuyau par petits jets et sent le chien. Le papier glisse. C'est pour cela qu'il y a des petites serviettes très parfumées pour se laver les mains. En sortant, je m'empêtre dans la porte, mais on m'aide à sortir. En retournant à ma place, je vois le pilote et le copilote. Un peu plus, je pourrais me glisser dans la cabine de pilotage, mais la jeune fille blonde me demande si j'ai besoin de quelque chose. Je lui dis que je veux de l'eau. Elle me donne une timbale en carton avec de la glace. J'aime beaucoup sucer de la glace, car, à la maison, on ne me le permet pas. Il paraît que cela provoque des caries. Lorsque je regagne mon siège, un monsieur passe avec un plateau de bonbons. J'en mange deux à la fois et je veux garder le reste pour plus tard. J'attrape donc mon sac qui se trouve sous mon siège. Ce sac ressemble à une valise, mais il est long et en grosse toile. Maman y a mis des roues pour que je puisse le tirer tout seul. À l'intérieur, elle a mis un manteau de flanelle à carreaux qui sent le cafard. C'est une couverture qui a appartenu à ma grand-mère. Quand elle range son linge, elle y met des petites boules de naphtaline. Dans mon sac, maman a mis aussi environ vingt paires de chaussettes qui ne sont pas dépareillées. Maman les a échangées contre des haricots noirs et deux kilos et demi de café. Depuis qu'il n'y a plus rien de rien à Cuba, maman passe son temps à faire du troc. Elle fait une salade de poulet sans poulet et une bonne mayonnaise aux carottes dont elle a le secret, qu'elle échange contre des serviettes de toilette, ou des draps, ou des verres, moitié inférieure des bouteilles de Coca-Cola. Papa a inventé un liquide pour freins à base d'huile de ricin ; il arrive ainsi à obtenir des écrous et des fils de fer. Parfois, c'est amusant : par exemple, les chaussures de mon frère, les jaunes canari pleines de petits trous, comme celles d'un clown, viennent d'un Russe qui les a échangées contre un litre d'alcool pur à un ami de papa, qui lui-même échange l'alcool contre des œufs.

Comme mon papa élève des poulets, il a des œufs en trop qu'il échange.

Dans le sac, maman a mis aussi des caleçons que ma grand-mère a faits pour moi dans de vieux draps, une photo de papa et de maman, et une petite boîte de pilules. Les rondes soignent la constipation. Je ne suis jamais constipé, mais en revanche j'ai de la diarrhée. On me les a mises quand même. Grand-mère dit que je suis « très fragile du ventre ». Moi, cela me met très en colère, car ce que j'ai, c'est de la diarrhée, comme les grands. Les pilules contre la diarrhée ont un goût de plâtre. Les jaunes font baisser la fièvre. Le sirop vert au goût diabolique, c'est contre la toux. Je pense que le flacon tombera et se cassera à mon arrivée à Miami. Tante Amelia a mis dans mon sac une petite boîte contenant une pierre de jais contre les maux d'yeux. Papa dit qu'il n'y a pas de maux d'yeux. Tante Amelia dit que si ; elle a vu une plante se flétrir, puis mourir, du seul fait qu'une personne l'a regardée d'un mauvais œil. La nièce de tante Amelia, qui a attrapé mal aux yeux, a rétréci et s'est ridée comme une petite vieille jusqu'à ce quelle meure. Ma tante dit aussi que l'on ne doit jamais se balancer soi-même dans un fauteuil à bascule, sinon le plus petit de la maison meurt. Lorsque le singe de ma grand-mère est mort, ma tante a dit :

« Que le mal disparaisse avec lui », ce qui signifie qu'il est préférable qu'un singe meure plutôt qu'un être humain. J'aime beaucoup tante Amelia, car elle me défend toujours et me fait des confitures quand elle trouve du sucre. Elle dit que je suis son fils et que je suis né noir comme elle, mais qu'ensuite elle m'a mis une couche de blanc et m'a offert à ma maman. Tante Amelia s'est accrochée à la portière de la voiture lorsque je suis parti et a continué à courir à côté de la voiture en disant : « Mon enfant ! Mon enfant ! » jusqu'à ce que la voiture aille plus vite qu'elle.

Je me sens seul et je demande à mon frère :

– Que va-t-il se passer si grand-père n'est pas là pour nous attendre ?

– Nous lui téléphonerons.

– Et si nous téléphonons et que personne ne répond ?

– Nous chercherons un agent de police.

Moi, je n'appellerai jamais un agent de police. Je n'ai pas confiance en la police, depuis le jour où il en est venu un, au teint olivâtre, et barbu, qui a emmené papa en le menaçant de sa mitraillette. Nous sommes restés longtemps sans voir papa, sans même savoir où il était. Yago, le jardinier, qui louche d'un œil et semble toujours regarder son nez, est venu nous voir et a dit à maman qu'ils avaient emmené papa au collège des curés, là où moi j'allais avant que les communistes ne réquisitionnent ce collège. Alors, je me suis échappé de la maison, sans rien dire. Je suis sorti en courant et me suis dissimulé dans le buisson de manguiers, derrière le mur du collège. Là, dans la cour où, avant, nous étions en récréation, il y avait environ deux cents hommes qui tournaient en rond. J'ai tout de suite aperçu papa et j'ai sifflé avec le sifflet des Lendián, celui que mon grand-père a inventé et qui s'entend à deux lieues. Papa a compris que c'était moi et m'a cherché des yeux.

– Que fais-tu là, Kike ? m'a-t-il dit. Va-t-en, va-t-en tout de suite, avant qu'ils ne te voient !

Je lui ai demandé s'il avait vu le curé Joselin, celui qui jouait au football avec nous.

– Il n'est pas ici. Ils sont tous partis hier. Maintenant, va-t-en, mon fils. Dis à ta mère que je vais bien et qu'elle m'envoie de quoi manger.

Ce n'était pas vrai : tous les curés n'étaient pas partis, car ils en avaient fusillé trois. Le jour suivant, Candita, notre plus proche voisine, grosse bonne femme à cancans, qui parle tout bas pour que je n'entende pas, est venue et a dit à maman – moi je l'ai entendue – que le père Joselin, au moment où ils allaient le fusiller, avait crié : « Vive le Christ-Roi ! » et « Vive Cuba libre ! » De toute façon, ils l'ont fusillé. Alors moi, je le voyais se serrant l'estomac et crachant du sang, comme dans le film du samouraï qui s'était planté un couteau dans le ventre et dont le visage était horrible. Maintenant, je ne peux pas y penser. Je ne peux pas, car, si j'y pense, j'en rêve. Si j'en rêve, je fais des cauchemars et, si je fais des cauchemars, je fais pipi au lit. Pourvu que cela ne m'arrive jamais ! Mon frère m'a juré qu'il ne le dirait à personne si je lui donnais un peso chaque semaine. Mais je ne sais pas si grand-père me donnera de l'argent à Miami ; sinon, je suis sûr qu'il le dira, ou qu'il m'embêtera en m'appelant Siméon au lieu de Jesús. Comme s'il savait ce que je suis en train de penser, Toni me demande :

– As-tu remonté ta fermeture ?

Je n'aime pas que l'on me demande si j'ai remonté ma fermeture, mais je regarde, au cas où… Étant donné qu'on nous a déshabillés à l'aéroport, que j'ai dû me rhabiller, puis aller aux toilettes, peut-être l'ai-je laissée ouverte.

Maman nous a expliqué qu'ils restaient pour que l'on ne nous prenne pas la maison ni la propriété, que nous, nous allions à Miami pour étudier dans un très grand collège avec terrain de foot, court de tennis, piscine et même des chevaux. À la porte de la salle d'embarquement, au moment de nous séparer, maman a voulu avoir l'air contente et m'a dit : « Tu m'enverras une photo avec ton cheval ! » Papa m'a embrassé et m'a demandé de me conduire en homme ; c'est ce que disent toujours les pères quand il faut faire quelque chose d'ennuyeux. Le nez de ma grand-mère est devenu tout rouge comme une tomate ; elle s'est mise à pleurer et a dit : « Aïe, mon Dieu, Sacré-Cœur de Jésus ! » Ce qu'elle dit toujours quand elle est triste. Moi, j'ai eu envie de ne pas franchir la porte, au risque de me priver de collège et de cheval, mais mon frère m'a poussé et nous sommes entrés dans l'aquarium. L'aquarium n'est pas un aquarium. On l'appelle ainsi car c'est une salle dont les parois sont vitrées. Les gens se voient d'un côté et de l'autre sans pouvoir se toucher. J'ai vu un homme aux mains collées sur la vitre, et sa femme de l'autre côté. Tous les deux pleuraient. Cela m'a fait beaucoup de peine car je n'avais jamais vu un homme pleurer ainsi. Alors une femme de la milice, aux épaules larges et aux hanches étroites, nous a dit de passer au contrôle.

J'ai fait comme si je n'entendais pas, car j'avais honte d'être vu avec ce caleçon fait dans de vieux draps. Un homme de la milice, maigre, autoritaire et portant une mitraillette, nous a dit :

– Entrez ici et déshabillez-vous.

À ce moment précis, j'ai compris que cette histoire de collège et de cheval était un piège. On ne déshabille personne lorsqu'on embarque pour le collège. Ma fermeture s'est grippée et mon frère a dû m'aider. Quand j'ai été nu comme un ver, j'ai regardé mes cousins. Moi, je n'avais jamais vu mes quatre cousins nus et j'ai constaté que c'était moi qui avais le plus petit. Mais tante Amelia m'a dit qu'il ne faut pas que je m'inquiète, que c'est comme le nez qui grandit à quatorze ans. De toute façon, cela ne m'a pas plu du tout, surtout lorsqu'on m'a enlevé la montre que papa m'avait donnée, car je vais bientôt avoir neuf ans et nous ne pourrons pas les fêter ensemble. Ils ont pris les médailles de mon frère et de mes cousins qui ont protesté jusqu'à ce qu'un homme de la milice leur dise qu'ils étaient de sales vers de terre. Être un ver de terre à Cuba, c'est très mauvais, car cela signifie que l'on n'est pas du côté de la révolution. Il y a des gens que l'on a fusillés à cause de cela. Pris de peur, j'ai demandé à Toni :

– Dis, et si le grand-père ne nous attend pas ?

Après tout, si cette histoire de collège était un mensonge, le coup du grand-père pouvait l'être aussi.

– Tu es vraiment un oiseau de mauvais augure, Kike ! Mais si, il sera là car maman lui a parlé.

À Miami, on parle anglais – et maintenant on parle aussi beaucoup espagnol – alors je me suis mis à réviser : « *I don't know* » veut dire « je ne sais pas » ; c'est ce que j'ai à dire si l'on me demande quelque chose sur Cuba, pour ne pas avoir d'histoires. Je sais dire aussi « *help* », qui veut dire « aide », et « *food* », qui veut dire « nourriture ». Mon frère m'a appris deux gros mots : « *jel* » et « *dam* ».

Si le grand-père ne nous attend pas, en revanche il y a mes cousins, qui sont quatre ; en ajoutant ma cousine, cela fait cinq. J'ai voulu voir où ils étaient et me suis hissé le long du dossier du siège qui était devant moi, mais j'ai piqué une tête. Si je ne m'étais pas accroché au chapeau de la dame enrhumée, je serais tombé. Son chapeau a été tout abîmé. Mon frère m'a flanqué un coup sur la tête. J'en ai profité pour réviser les gros mots.

L'aîné de mes cousins s'appelle Manolo. Il passe son temps à faire des haltères pour devenir fort. À Cuba, il avait une motocyclette ; il ne me laissait pas monter dessus. Mais il s'en est lassé, car un jour on la lui a démolie et il n'a pas pu trouver les pièces de rechange pour la réparer. Ma cousine a treize ans mais en paraît plus. Elle serre tant sa ceinture qu'elle ressemble à un singe. Elle porte un bustier et met du rouge à lèvres, bien qu'on le lui interdise. Quand elle écoute de la musique, elle pense à son fiancé qui est au service militaire depuis l'âge de dix-sept ans et ne pourra quitter Cuba qu'à l'âge de trente ans. Mon cousin Cleto est maigre et a de grandes dents cerclées de bagues. Nous disons « Cleto » car le pauvre s'appelle Anacleto. Moi, j'aimerais porter des bijoux à mes dents, mais le dentiste dit que je n'en ai pas besoin. Mon cousin Jorge est comme moi ; nous passons notre temps à nous battre. Pancho est mon plus jeune cousin. Le pauvre est empoisonnant, car il veut toujours jouer avec nous mais il ne comprend jamais rien à nos jeux. Depuis que nous avons quitté Cuba, il n'arrête pas de pleurer. Je crois qu'il est à moitié détraqué. Parfois, il croit qu'il est une automobile, mais, quand il écarte les bras et fait « brrrrr », c'est un avion. De plus, il parle à un ami, soi-disant, mais il n'y a personne ; après lui avoir parlé, il change de voix et fait la voix de l'autre.

Mes cousins n'iront pas chez mon grand-père, car ce sont des cousins du côté de ma mère. Étant donné que mon grand-père est le père de papa, ce n'est pas leur grand-père. Ils iront à un collège très bien, qui s'appelle « Matecumbe[2] ».

Un monsieur du nom de Tito viendra les chercher. Lorsqu'ils diront leurs noms, ce monsieur devra leur donner une boîte de chewing-gum : c'est le signe de ralliement. Cela fait très longtemps que je n'ai pas mâché du chewing-gum. Le dernier que j'ai eu m'a duré très longtemps car, après l'avoir mastiqué un moment, je le collais derrière la table de nuit.

On dit quelque chose en anglais. La jeune fille blonde prend un bidon, sans doute du désinfectant car cela sent le *flit* que ma grand-mère employait pour tuer les moustiques, et en asperge partout. Soudain, l'avion se met à bouger beaucoup. L'estomac me monte à la gorge. Je crois que nous sommes en train de tomber, mais je regarde par le hublot et je sursaute :

– Regarde, Toni ! Miami !

Alors mes oreilles se bouchent et me font mal. Je n'entends presque pas Toni qui me dit :

– Avale !

Tandis que je n'arrête pas d'avaler, on annonce au haut-parleur que « nous allons atterrir ». L'avion touche la terre et la blonde dit :

– Bienvenue à Miami, mesdames, messieurs les passagers. Veuillez rester à vos places jusqu'à…

Moi, je n'y fais pas attention. Je me dépêche, je prends mon sac et essaie de sortir le premier. Mes cousins sautent par-dessus les gens pour nous rejoindre. Nous sommes déjà sur la passerelle.

– Au revoir, mademoiselle, merci beaucoup, dit Toni pour avoir l'air poli.

Il me prend la main pour descendre. Cela ne me plaît pas car il n'est pas mon père. Je me dégage.

– Kike, souviens-toi de ce qu'a dit papa, me dit Toni.

La passerelle bouge. Il vaut mieux que je lui obéisse. Dehors, il fait très chaud, comme à Cuba. Je ne sais pas pourquoi ma grand-mère a voulu que je mette un costume de laine. Mon frère Toni et mon cousin Manolo portent aussi un costume de laine, mais, étant donné qu'ils n'en avaient pas d'autre, ils seraient restés jambes nues ! Je me demande pourquoi les vieux, qui craignent tant le froid, ne se protègent pas eux-mêmes, au lieu de protéger les autres.

Enfin, nous entrons dans l'aéroport par une porte vitrée qui s'ouvre toute seule dès que l'on pose le pied sur le tapis. Je ressors et entre à nouveau pour voir comment cela fonctionne, mais je ne vois personne. Il semble que ce soit électrique. À l'intérieur de l'aéroport, mes oreilles se débouchent et j'entends beaucoup de bruit. On nous fait passer par le bureau de l'immigration. L'homme du guichet me regarde d'un air figé, comme si je le dérangeais. Il prend mon visa, frappe avec quelque chose qui est encré et le rend à mon frère, à qui l'on pose des tas de questions sur Cuba. En revanche, moi, je n'ai même pas l'occasion de dire : « *I don't know.* »

Lorsque nous sortons de là, mes cousins ont déjà rencontré Tito, un Cubain qui porte un short, une chemise à carreaux, des chaussettes, des chaussures ordinaires et un chapeau avec une plume rouge. Il est très drôle car, en plus, il est mulâtre. Mais il n'est pas déguisé. Ici, beaucoup de gens s'habillent ainsi. Autour de lui, il y a environ vingt enfants. Il leur demande leur nom, le cherche sur une liste et, s'il s'y trouve, leur donne un chewing-gum.

Le Cubain demande à mes cousins s'ils savent où loger, ne serait-ce que pendant quelques jours, car trop d'enfants sont arrivés et il n'a pas de place pour tous. Ils disent que oui, chez mon grand-père. Nous nous asseyons donc pour l'attendre, mais il ne vient pas. Moi, au début, je regarde tous les avions qui arrivent. Puis le ciel s'obscurcit. J'ai faim et j'ai peur. Il y a beaucoup de monde qui court d'un point à un autre. Personne ne nous regarde. Nous ne comptons pas.

Soudain, mon frère dit :

– Le voilà qui arrive !

Je vois marcher vers nous le petit vieux de la photo qui est dans la salle de séjour de ma maison, mais encore plus vieux et encore plus chauve. C'est mon grand-père. Il reconnaît tout de suite Toni, lui demande quand nous sommes arrivés et me donne un baiser avec sa moustache. Jusque-là, tout va bien, mais, quand les cousins lui disent qu'il faut qu'ils aillent avec lui, il devient furieux.

– Moi je ne peux pas emmener tant d'enfants ! Je suis trop vieux et je n'ai pas de place pour les loger !

Alors, ma cousine se met à pleurer. Le grand-père dit que sa maison n'est pas un hôtel et demande qui a bien pu avoir l'idée de lui envoyer, à l'improviste, sept mômes !

Je pense que cela se présente mal. Quand ma maman me traite de « môme », c'est bien évident qu'elle me gronde.

Le grand-père proteste, va téléphoner à je ne sais qui, revient en se tenant la tête entre les mains. Il sue à grosses gouttes. Il explique à un policier ce qui se passe. À la fin, ma cousine pleurant de plus en plus, il dit :

– Bon, aujourd'hui, vous venez avec moi. Dès demain, je réglerai ce problème. Il faut voir ça ! Quelle idée d'envoyer sept enfants à un vieillard ! Bon, allons, allons, allons !

Il nous fourre dans son automobile, qui est une très vieille Cadillac, et nous partons. Sur le siège arrière il y a un énorme trou par lequel s'échappe tout le rembourrage. Par terre, il y a un autre trou et l'on voit la rue défiler par en dessous.

– Grand-père, regarde, on voit la rue ! Si je mets mon pied dans le trou, je la touche !

Il me dit :

– Si tu le mets, je te tue !

Alors je regarde dehors… Miami ressemble à un arbre de Noël, tout illuminé. Puis nous passons sur un pont très long qui est une route avec de l'eau de chaque côté. Je vois des bateaux, grands et petits, des canots à moteur et des gens qui pêchent. Je vois aussi des canaux et de très grandes maisons sur les deux rives. Je demande à grand-père si l'une d'entre elles est la sienne. Il me répond :

– Tu rêves, mon enfant ? Qu'est-ce qu'on raconte à Cuba ! Ici, nous les exilés, nous ne faisons que crever de faim !

Moi, je ne sais pas ce que veut dire « exilés » mais, voyant dans la rue tant de petits vieux bossus et dégoûtants, je pense qu'ils sont ces exilés. Je ne sais pas non plus – mais je l'apprendrai plus tard – ce que c'est que « crever de faim ». C'est très mauvais.

Comme j'aime beaucoup parler, je demande au grand-père s'il y a des requins à Miami, et si c'est vrai qu'à l'Aqualand il y a un monsieur qui monte sur les dauphins et joue au ballon avec eux. Je veux savoir aussi où sont les crocodiles et quand il nous emmènera à la plage ou pêcher en barque.

Exaspéré, il s'écrie :

– Sainte Vierge, mais tais-toi donc, mon enfant !

Après avoir tourné des tas de fois, il prend une large avenue, puis un chemin, jusqu'à ce que nous arrivions à une maison de bois, toute sombre, comme dans les films de mystère. C'est là.

– C'est l'avenue Michigan ? dis-je. Cela non plus ne lui fait pas plaisir. Je n'ai pas dit ça pour le contrarier mais parce que je me souviens du petit papier.

– L'avenue Michigan ? Il n'y a pas d'avenue Michigan ! C'est l'adresse de l'hôtel.

– Ah ! lui dis-je.

Le grand-père entre dans la maison et allume les lumières ; elle paraît encore plus laide et délabrée.

– Eh bien, c'est tout ce que j'ai. Il y a quatre lits. Arrangez-vous comme vous pouvez. À demain.

_____

– Mais grand-père, nous n'avons pas mangé ! proteste Toni.

– Ah bon ! La cuisine se trouve là-bas au fond. Dans le réfrigérateur, vous trouverez du pain et des hot-dogs. Je crois qu'il y a aussi du lait. Mangez ce qu'il y a. Demain, nous verrons.

Mais le lendemain nous ne voyons rien. Au petit déjeuner, nous remangeons des hot-dogs, du pain et buvons et du lait froid ; le soir aussi et le surlendemain jusqu'à ce qu'il n'y ait plus rien.

Mon frère Toni et mon cousin Manolo disent que le grand-père va nous faire mourir de faim. Moi, je ne le pense pas, mais ce qu'il y a avec les vieux, c'est qu'ils ne mangent presque pas car rien ne leur convient.

Je ne pense pas non plus qu'il est méchant. Simplement, il est très vieux : il doit avoir presque mille ans ! Il est tout chauve, comme s'il n'avait jamais eu de cheveux. Il s'empêtre à chaque fois qu'il s'arrête de marcher ou qu'il veut s'asseoir. La nuit, il enlève ses dents et les met dans un verre.

Grand-père oublie tout. Quelle histoire ! Il appelle Toni Manolo, et moi Cleto. Parfois, il ne se souvient d'aucun nom et dit : « Dis-donc, toi, petit, jeune homme, oui toi, comment t'appelles-tu ? » Le pauvre veut dire une chose et finalement en dit une autre. Je crois qu'il ne parle pas de ce qu'il veut, mais de ce qu'il peut. De temps en temps, il reste longtemps à regarder les taches brunes qu'il a sur les mains, ou bien il fait oui, ou non avec la tête, même s'il n'y a personne devant lui. Il sent l'inhalateur de Vicks, et aussi un peu l'hôpital. Il faut tout lui dire au moins deux fois. Si l'on ne crie pas en lui parlant, il n'entend pas ; mais si l'on crie trop, l'oreille lui siffle. Parfois, je m'assieds à côté de lui et il se met à me raconter tout ce qui lui fait mal : presque tout lui fait mal. Il dit que, quand il pleut, il a même mal aux ongles. D'autres fois, il me conte des histoires, toujours les mêmes : qu'à Cuba, il faisait pousser des pommes de terre et qu'il avait beaucoup de propriétés, et puis qu'il avait été président de ceci ou de cela. Mais, ce qui l'amuse le plus, il en rit même et se tape les jambes avec les mains, c'est quand il me raconte qu'il jouait au ballon ; quand il était jeune, grand-père a été *pitcher*[3].

Je crois qu'il ne nous fait manger que des hot-dogs non par méchanceté, mais parce qu'il oublie. Un jour, je lui dis qu'il ne reste plus rien de rien. Il me répond :

– Ne t'en fais pas. Maria va venir tout de suite avec les provisions.

J'en suis très content, jusqu'à ce que mon frère me dise que Maria était ma grand-mère du côté de mon père et qu'elle est morte lorsqu'il était tout petit.

– Le grand-père est fou, Kike, me dit Toni très sérieusement.

– Fou, fou ? lui dis-je.

– Oui, fou à lier.

Moi, je ne l'ai pas cru. Mais, après, il y a eu l'histoire de l'homme à la fenêtre. Il est vrai que nous commencions à nous tenir très mal. Au début, quand nous sommes arrivés, je me comportais assez bien. L'idée de mouiller les serviettes de toilette pour que personne ne puisse se baigner, c'est mon cousin Cleto qui l'a eue, celui qui a des bijoux aux dents. Marcher sur le toit, c'est moi qui l'ai fait car mon cousin Jorge m'avait dit que, si je ne le faisais pas, c'est que j'étais pédé. Nous avons tous eu l'idée de faire du feu la nuit ; si le poulailler s'est enflammé, c'est à cause du vent, et non de notre faute.

Les premières fois, le grand-père devenait tout rouge, enlevait sa ceinture et nous courait après ; mais le jour où nous avons caché ses dents, il nous a enfermés tous les sept dans une pièce et a fermé la porte à clé.

– Dieu va vous punir comme des délinquants ! C'est ce que vous êtes tous ! Une bande de délinquants !

———

– Qu'est-ce que c'est qu'un délinquant, Toni ?

– De sales gens, qui volent et qui tuent.

– Nous, nous n'avons tué personne.

– Je t'ai déjà dit que le vieux est fou.

Dans la pièce où il nous a mis, nous avons eu très faim, car le grand-père n'ouvrait la fenêtre qu'une seule fois par jour pour nous donner seulement des hot-dogs et du lait. Moi, j'ai commencé aussi à avoir des démangeaisons car, en vérité, je n'aime pas me baigner, et comme personne ne me disait de le faire...

Nous n'avions plus de linge. Quand il empestait, nous le fourrions dans l'armoire que nous fermions. Comme mon cousin avait un jeu de cartes, nous passions la journée à jouer au poker, qui est un jeu pour les grands, mais tout de suite nous nous dissipions et nous nous donnions des gifles. Le grand-père, entendant du bruit, s'écriait :

– Taisez-vous ou bien je vais entrer pour vous administrer une correction !

Tante Amelia disait aussi qu'elle allait m'attacher les oreilles au nez, ou qu'elle allait m'arracher la langue avec des tenailles si je disais des gros mots ; mais je savais bien que c'était pour rire. Avec le grand-père, ce n'était pas si sûr ! Surtout que, cette nuit-là, il y a eu l'histoire de l'homme à la fenêtre.

Nous étions en train de jouer aux cartes. Mon cousin Manolo a triché. Mon frère l'a traité de tricheur et ils ont commencé à se battre. Moi, j'ai donné un coup de pied à mon cousin pour défendre mon frère, et Jorge m'en a donné un. Nous avons tous fini par nous donner des coups. Soudain, j'ai regardé par la fenêtre et j'en suis resté figé :

– Regardez ! Regardez !

À travers la fenêtre, j'ai vu un homme, ou un diable, ou un fantôme, le visage éclairé par une lumière, portant un très grand chapeau et ayant un couteau à la main. Il faisait des grimaces et nous montrait le blanc de ses yeux.

J'ai commencé à crier :

– Grand-père ! Grand-père ! Un homme ! Il y a un homme derrière la fenêtre !

Le grand-père est arrivé, a ouvert la porte et nous a dit :

– Ne vous l'avais-je pas dit ? Ne vous l'avais-je pas dit que Dieu vous punirait ?

Il nous a obligés à nous agenouiller autour de lui.

– Priez afin que Dieu vous pardonne, car après-demain ce sera la fin du monde.

Moi, j'ai eu très peur que ce fût la fin du monde. Je me suis demandé si ce serait par le feu, par le déluge ou par la bombe atomique. J'ai récité environ cent Notre Père et j'ai demandé à Dieu qu'il veuille bien, si c'était la fin du monde, me mettre dans le même bateau ou m'attacher au même parachute, ou n'importe quoi, que mon frère Toni, et sauver ma maman et mon papa, même s'ils étaient à Cuba ; et, s'il fallait mourir, que cela ne fasse pas mal.

Cette nuit-là, bien sûr, je n'ai pas pu dormir. De plus, une serviette de toilette suspendue à un porte-manteau ressemblait à un pendu et les branches qui frappaient la fenêtre étaient comme des bras de diables qui voulaient entrer.

– Toni.

– Quoi ?

– C'est vrai que la fin du monde est pour après-demain ?

– Ne sois pas idiot ! Je t'ai déjà dit que le vieux est fou.

– Toni.

– Encore !

– Une fois, j'ai vu une dame parler à maman. Elle était testicule de Jéhovah et, elle aussi, elle disait que la fin du monde approchait.

– Témoin de Jéhovah, Kike ! Pas testicule de Jého-vah !

– Oui, c'est cela.

– Dors et ne pense plus à rien. Nous verrons bien comment cela finira.

Le lendemain, mon frère Toni m'a dit que l'homme de la fenêtre n'était ni le diable, ni un fantôme, mais plutôt Paquito, ce type à moitié idiot qui fait les courses pour mon grand-père. Manolo et Toni se sont mis d'accord : quand Paquito est arrivé, ils se sont tous les deux jetés sur lui ; mon frère l'a mis à terre avec une prise de judo ; mon cousin lui est tombé dessus et l'a menacé avec son couteau :

– C'est toi qui t'es montré à la fenêtre la nuit dernière ! lui a dit Toni.

– Non, non ! Ce n'était pas moi ! Ce n'était pas moi !

Mon cousin a mis la lame du couteau sous sa gorge :

– Si tu ne parles pas, je te la coupe !

Paquito s'est mis à pleurer et leur a demandé que, par pitié, ils ne lui fassent rien car c'était le grand-père qui l'avait chargé de nous effrayer, pour voir si nous allions mieux nous comporter à l'avenir.

– Moi, je ne voulais pas ! Je jure sur la tête de ma mère que je ne voulais pas ! Je ne pensais pas que vous auriez si peur !

– Tiens ! Pour que tu t'en souviennes ! a dit Toni, en lui flanquant un coup dans le ventre. Si tu recommences, prends garde !

En se relevant, Paquito s'est écorché le visage sur le couteau de Manolo. Un filet de sang a taché sa chemise. À ce moment-là, j'ai pensé que nous étions peut-être devenus maintenant de vrais délinquants.

Manolo et Toni ont alors décidé de faire la révolution contre le grand-père. Nous avons tous été d'accord. Cleto a peint sur une affiche une tête de mort avec deux os entrecroisés, comme sur les flacons de poison. Il a écrit en grosses lettres : « À BAS LE GRAND-PERE ! VAINCRE OU MOURIR ! »

Nous avons tout de suite organisé des tours de garde. Cleto et moi, nous devions prévenir si le grand-père arrivait. Mon frère et mon cousin ont enlevé le grillage des portes et des fenêtres pour pouvoir sortir en courant en cas d'urgence. Ils ont nommé ma cousine « camarade responsable de l'intendance ». C'est une charge comme celles que l'on donne à Cuba. Cela voulait dire qu'elle devait faire le ménage et la cuisine. Ma cousine a protesté, mais ils ne lui ont pas permis de refuser. Quoi qu'il en soit, même si elle savait faire la cuisine, il n'y avait rien à cuisiner. En revanche, elle a ouvert l'armoire, a pris le linge sale et l'a mis dans la machine à laver. Elle a également donné l'ordre de se baigner au moins un jour sur deux. Nous avons préparé des bâtons et des triques afin de les utiliser en cas de besoin. Moi, j'ai fait une sorte de tranchée avec les matelas. Je ne sais pas très bien pourquoi, mais cela m'a semblé amusant.

Lorsque le grand-père s'est levé et a vu l'affiche sur la porte de sa chambre, il a dit :

– Ah oui ? Eh bien, ils vont maintenant savoir ce qui est bien !

C'est toujours ce que disent les adultes quand ils veulent faire comprendre que l'on va savoir ce qui est mal.

Il est monté dans sa vieille Cadillac. Nous avons alors pensé qu'il allait chercher la police. Mais non. Peu de temps après, il est revenu avec beaucoup de paquets. Paquito et lui ont sorti un vieux réfrigérateur qui était dans le garage, y ont rangé tout le ravitaillement que le grand-père avait apporté, puis l'ont fermé à clé. Le grand-père allait et venait en parlant tout seul :

– C'est fini ! C'en est trop ! C'est fini !

Il a mis dans sa chambre le téléviseur, une petite cuisinière à deux feux, un fauteuil, une lampe et un pot de chambre. Puis il a rassemblé tous les billets de banque qu'il conservait dans tous les coins, les a fourrés dans le globe de la lampe et a posé son chapeau dessus. Dans le réfrigérateur qui était dehors, il a mis, sans doute pour nous, six paquets de hot-dogs, quatre litres de lait et cinq pains. Et il a crié :

– Allez vous faire foutre ! tout en s'enfermant dans sa chambre.

Au bout de quatre jours de hot-dogs, nous avons compris que la révolution était perdue. Le pire jour que j'ai vécu a été celui de mon anniversaire, car personne ne me l'a souhaité, ni ne m'a rien dit. Je l'ai donc passé en espérant que quelqu'un viendrait de Cuba avec un cadeau, ou bien que l'on m'appellerait. J'étais content qu'il reste encore deux heures, puis qu'il reste encore une heure mais, quand la nuit est tombée et qu'il n'est plus resté d'heure et que ma cousine m'a seulement donné du café au lait car il n'y avait rien d'autre, je me suis couché et ai dit tout bas à Toni :

– Toni, tu ne te souvenais pas qu'aujourd'hui c'était mon anniversaire ?

– Hélas, mon petit nain ! Je l'avais oublié !

Mon frère m'appelle « petit nain » quand il veut être gentil avec moi. Alors, il est descendu de son lit, a pris un couteau qui lui appartenait, un de ces couteaux d'où l'on sort un ouvre-boîte et un tire-bouchon, et m'a dit :

– Prends-le, Kike. Je te le donne.

C'était un splendide cadeau. J'ai sorti l'ouvre-boîte et le tire-bouchon plusieurs fois, jusqu'à ce que je m'endorme.

Le lait et le pain étant épuisés, et le grand-père ne sortant toujours pas de sa chambre, nous ne savions plus quoi faire. Ma cousine nous a donné de l'eau chaude sucrée tant qu'il y a eu du sucre. Mon cousin Panchito, qui ne comprenait rien du tout à cette situation, passait son temps à demander à manger et à pleurer. Chaque fois qu'il entendait un avion, il sortait en courant dans la cour, levait les bras et se mettait à appeler son père et sa mère comme s'ils étaient dans l'avion et pouvaient l'entendre. Le pauvre petit avait beaucoup maigri. Il ne jouait plus à faire la machine et c'est à peine s'il parlait tout seul.

– Nous devons nous rendre et faire la paix avec le grand-père, a dit Toni.

Nous avons tous voté oui. Nous avons nettoyé la cour, rangé la maison, enlevé les affiches et défait les tranchées. Quand tout a été terminé, nous sommes allés à la porte du grand-père et Toni a crié :

– Grand-père, ouvre. Nous allons maintenant être bien gentils !

Savez-vous ce qu'il a répondu ?

– Eh bien, allez commander des graines de pommes de terre. Quand vous les aurez, vous me le direz.

– C'est pas vrai ! Il est devenu complètement fou ! ai-je dit.

– Alors, que faisons-nous ? a demandé Cleto.

– Il nous faut de l'argent, a répondu Toni.

Manolo et Toni ont alors décidé que moi, étant somnambule, je pouvais entrer dans la chambre du grand-père et lui en voler.

– Tu n'as qu'à faire celui qui dort debout, entrer, prendre l'argent qui est dans la lampe, puis sortir, m'a dit Toni.

– Et si le grand-père m'entend et se réveille ?

– Il ne se passera rien. Tu es somnambule.

Moi, j'ai dit que je ne voulais pas, mais Manolo et Toni m'ont expliqué qu'ils m'avaient élu à la majorité des voix et, étant en démocratie, je ne pouvais me dérober. J'ai donc accepté d'y aller.

Cette nuit-là, mon frère a monté la garde. Quand il a entendu le grand-père ronfler, Toni et mon cousin ont ouvert la porte de sa chambre avec un tournevis.

– Ça y est, Kike, entre !

Comme j'avais plus faim que peur, j'ai étendu mes bras en avant, j'ai fermé les yeux et je suis entré dans la chambre du grand-père, lentement et sans faire de bruit. Le grand-père ronflait et soufflait, il ne m'a pas entendu. Je me suis approché peu à peu de la lampe, mais elle était très haute et je ne pouvais pas l'atteindre. Alors j'ai pris une chaise, je suis monté dessus, j'ai enlevé le chapeau, ai introduit ma main avec beaucoup de précaution et ai saisi tous les billets que j'ai pu. Malheureusement, lorsque j'ai retiré ma main, des pièces qui se trouvaient à l'intérieur des billets sont tombées sur le pot de chambre et ont fait du bruit. Je me suis mis à courir, oubliant que j'étais somnambule, et suis sorti précipitamment par la fenêtre. Je ne m'en suis souvenu qu'une fois arrivé au milieu de la cour.

Toni a tout de suite compté l'argent : vingt-cinq dollars.

– C'est bien, Kike !

Je me suis senti fier, comme si l'on me remettait une médaille.

Cette nuit-là, aucun de nous ne s'est risqué à entrer dans la maison et nous sommes restés dans le jardin. Mais, le lendemain, Toni m'a dit que nous allions acheter de quoi manger.

– Mets ceci, m'a-t-il dit en me donnant une cape imperméable jaune avec de grandes poches que nous avions apportée de Cuba.

– Pourquoi ? Il ne pleut pas.

– Chacun de nous va mettre la sienne car nous aurons peut-être à voler, Kike, m'a-t-il dit très sérieusement.

Moi, je n'avais jamais volé, mais je n'avais jamais eu aussi faim.

Nous sommes sortis tous les sept avec nos capes et, comme nous ne savions pas où était le magasin d'alimentation, et que nous ne parlions pas anglais pour pouvoir nous renseigner, ma cousine a décidé d'entrer dans une boutique qui ressemblait à une pharmacie. Je n'avais jamais vu une pharmacie pareille. À Cuba, les pharmaciens vendent des médicaments, mais ici, en plus, ils vendent des jouets, des ventilateurs, des téléviseurs et même des cuisinières. Au fond de la pharmacie, il y avait une cafétéria.

– Toni, regarde, des glaces ! lui ai-je dit, en lui montrant une glace avec du chocolat sur le dessus et une cerise tout en haut.

Toni a fait les comptes : chaque glace coûtant un dollar, nous utiliserions beaucoup trop d'argent si nous en achetions une pour chacun d'entre nous.

– Nous ne pouvons pas, Kike. Nous n'avons pas les moyens.

J'ai demandé au caissier où l'on pouvait acheter « *food* ». Il m'a compris car il m'a dit qu'à quatre cents mètres il y avait un marché.

Au moment de partir, j'ai pensé que le caissier ne me regardait pas et, Toni m'ayant dit que nous aurions à voler, j'ai pris un petit avion et l'ai fourré dans ma poche. Par malheur, j'ai été vu dans un téléviseur qui leur permet de surveiller les voleurs. Le caissier s'est mis en colère et m'a demandé de le rendre. J'ai fait l'innocent et lui ai dit : « Quoi ? » Il m'a répondu : « Le petit avion. » Comme Manolo est grand et fait des haltères, Toni aussi, ils ont dit au caissier qui, c'était le comble, parlait espagnol qu'il pouvait reprendre ce malheureux petit avion qui, de toute façon, était une saleté.

Le marché s'appelle « *Food Fair* ». Je n'avais jamais vu tant de nourriture à la fois : des tas d'étagères remplies de boîtes de conserve et de pains, des tables pleines de légumes et de fruits, et une chose très longue, avec de la glace dedans, remplie de poissons, de poulets et de viande. Pour faire comme tout le monde, ma cousine a pris un chariot en aluminium et l'a rempli de pain, de café, de lait, de haricots noirs et de riz. Les autres, nous nous sommes éloignés d'elle, et chacun de nous a fourré dans ses poches tout ce qu'il a pu. Nous allions passer à la caisse, les poches bourrées, lorsque le pauvre Panchito a sorti une plaque de chocolat et s'est mis à la sucer devant la caissière. Elle s'appelait Esther ; c'était inscrit sur le revers de son uniforme blanc. Elle avait l'air d'un tank. Ses cheveux étaient teints en roux, mais elle avait gardé les sourcils et la moustache noirs. Pour paraître plus jeune, elle avait dû se barbouiller le visage avec une pâte, et s'était mis beaucoup de rouge sur les lèvres ; même ses paupières étaient vertes. Quand je suis passé, elle m'a souri et toutes ses rides se sont mises à bouger comme des petits vers de terre.

– *Cuban* ? a-t-elle demandé.

– *Yes, Cuban,* lui ai-je répondu.

Alors elle nous a regardés tous les sept à la file avec nos capes jaunes – nous ressemblions aux petits nains de Blanche-Neige – et a fixé nos poches. Cela m'a énervé. Mais, au lieu de faire un scandale, elle est devenue triste, s'est mise à pleurer et a retroussé sa manche pour que nous voyions un numéro tatoué sur son bras.

– *Good luck, boys,* nous a-t-elle dit.

– Pourquoi a-t-elle fait cela, Toni ? lui ai-je demandé dès que nous avons été dehors.

– Parce qu'elle est juive.

– Les juifs, on les numérote ?

– Non, Kike. Les juifs, on les marquait ainsi en Allemagne, quand on les envoyait dans les camps de concentration.

– Les camps de concentration, qu'est-ce que c'est ?

– Mais, mon petit, tu n'as pas vu cela des tas de fois dans les films ? C'étaient des endroits où l'on maltraitait les juifs et où on les faisait travailler.

– Comme à Cuba ?

– Pire. On en tuait beaucoup. On leur disait qu'ils allaient prendre une douche et, ce qui sortait n'étant pas de l'eau mais du gaz, ils mouraient.

– Tous ?

– Non. D'autres mouraient de faim.

– Ah, c'est pour cela !

– Pour cela, quoi ?

– C'est pour cela qu'elle nous a laissés tout emporter.

– Peut-être.

Je me suis senti mal à l'aise, mais, dès que nous sommes arrivés à la maison et que j'ai commencé à manger, cela s'est passé. Nous avons ouvert les bouteilles de Coca-Cola. Nous avons mangé tout le chocolat et les bonbons que nous avions rapportés. Dans la nuit, nous avons tous eu mal au ventre.

Le lendemain matin, alors que nous dormions encore tous, la sonnette de la porte a retenti. Toni a ouvert à un monsieur qui semblait être cubain et qui avait d'énormes ampoules aux mains.

– Francisco Lendián habite ici ? a-t-il demandé.

– Oui, monsieur, a dit Toni.

– Puis-je lui parler ?

– Il n'est pas là, a répondu Toni, qui a préféré dire cela plutôt que de dire qu'il était fou.

– Tu es son petit-fils ?

– Oui, monsieur.

– Toni ?

– Oui, Toni. Lui, c'est mon frère Kike.

– Bon, écoute, je viens faire une commission à ton grand-père de la part de son fils.

– De mon père ?

– Oui. Je suis venu de Cuba en canot, il y a deux jours. Je ne suis sorti de l'hôpital qu'aujourd'hui.

– En canot ? C'est pas vrai !

– Si. Cela a été très dur. Un peu plus, nous étions engloutis. Nous étions vingt. Un bateau de guerre américain nous a recueillis, heureusement, car cela faisait deux jours que nous n'avions ni nourriture, ni eau. Bon, maintenant, nous sommes ici !

– Et là-bas, comment cela va ?

– Mal, pire de jour en jour.

– Et mes parents ?

– Eh bien, tes parents sont désespérés. Ils n'ont reçu aucune lettre de vous. Ton père ignore même si ton grand-père a reçu les deux mille dollars qu'il lui a fait parvenir par un ami.

– Personne n'est venu ici.

– Il faut vérifier. L'argent est peut-être arrivé avant que vous ne soyez ici. Ton père a donné dix mille pesos à une dame, et le fils de cette dame, qui est ici à Miami, devait remettre deux mille dollars à ton grand-père.

– Qu'est-ce que j'en sais… ! a dit Toni, en haussant les épaules.

– Demande à ton grand-père, pour savoir. Ta mère veut quitter Cuba à tout prix, même en canot. Je leur ai dit qu'ils risquaient leur peau. Maintenant les côtes sont très surveillées. S'ils voient un canot s'éloigner, ils tirent d'abord, puis ils interrogent. Moi, j'ai pris le risque car ils ne m'auraient pas laissé partir. Les techniciens, ils ne les laissent pas partir, mais tes parents, ils peuvent attendre d'avoir les papiers et partir légalement. Sais-tu si ton grand-père s'en occupe ?

– Je n'en sais vraiment rien.

– Bon, toi, dis-le-lui, car moi je pars aujourd'hui même pour New York retrouver ma femme et mes enfants. Dis-lui qu'il faut qu'il obtienne un *afidavit* et un contrat de travail qu'il enverra à ton père. Tes parents ont déjà le visa pour Mexico. Mais si ces papiers ne leur parviennent pas, le visa viendra à expiration et ils ne pourront plus jamais partir. Souviens-toi : *afidavit* et contrat de travail.

– Oui. Ne vous en faites pas ! Je me souviendrai.

– Bonne chance, mon garçon. Excuse-moi de ne pas te tendre la main, mais, à cause des ampoules… tu vois ?

Le monsieur est parti et Toni a refermé la porte.

Puis il m'a dit :

– Te rends-tu compte, Kike ? Le grand-père a reçu l'argent que Papa lui a envoyé et il nous fait mourir de faim.

Il m'a regardé, mais moi je lui ai dit tout de suite :

– Je ne fais plus le somnambule ! T'as compris ?

Cette nuit-là, ne pouvant pas dormir, j'ai demandé à Toni :

– Qu'est-ce que c'est un *afidavit* ?

– C'est un papier signé par un Américain par lequel il dit qu'il s'engage à prendre en charge les frais pour papa et maman, quelque chose comme cela.

– Quel Américain va pouvoir te le signer, puisque tu n'en connais aucun ?

– Je ne sais pas.

Cela m'a donné à réfléchir car, Toni étant l'aîné, il ne dit jamais qu'il ne sait pas.

– Et qui va établir le contrat de travail ?

– Nous verrons bien.

– Alors, si le grand-père est fou et ne s'occupe pas des papiers, et si toi tu ne sais rien du tout, papa et maman ne pourront jamais quitter Cuba.

– Ah toi, tu broies du noir !

– Toni.

– Quoi ?

– Tu crois qu'ils viendront en canot ?

– Peut-être.

– Toni.

– Quoi, mon petit ?

– Le monsieur a dit qu'ils leur tiraient dessus.

– Oui.

– Avec quoi ?

– À la mitraillette, je suppose.

– Toni.

– C'est pas vrai ! Tu vas finir par t'endormir et me laisser tranquille !

– Mais si maman et papa viennent en canot, et si on leur tire dessus à la mitraillette, ils vont peut-être mourir.

– Ils ne viendront pas en canot. Endors-toi.

J'ai eu bien du mal à m'endormir et j'ai fait des cauchemars : papa et maman arrivaient en ramant dans un tout petit canot. Maman criait car papa avait été blessé et était tombé à l'eau. Elle ne parvenait pas à l'en sortir et il se noyait. Heureusement, je me suis réveillé !

Le lendemain, nous avons vu le grand-père sortir de sa chambre avec une lettre. Il est allé jusqu'à la petite boîte métallique qu'il y a devant la maison, celle où le facteur ramasse les lettres. Toni a attendu qu'il revienne à sa chambre, puis il est allé reprendre la lettre et l'a lue.

– Quel type ! Quel type ! Il dit que sa maison est pleine de délinquants et qu'il ne peut sortir de sa chambre. Il veut que l'on prévienne la police car il a peur qu'on le tue.

J'ai réfléchi :

– Papa ne peut pas car il est à Cuba. Sais-tu qui va pouvoir prévenir la police ? ai-je dit à Toni.

– Qui ?

– Paquito.

– Celui-là, c'est un salaud. Eh bien, si la police vient, elle va m'entendre, a répondu Toni en faisant le malin.

Moi, les jours suivants, chaque fois que j'entendais passer une auto, je sortais en courant. On ne sait jamais…

La police n'est pas venue, ni personne, mais à nouveau nous n'avions plus de nourriture, ni d'argent. Alors, mon cousin Cleto, celui des bijoux, a eu l'idée d'aller voler des fruits à la voisine qui a un très grand terrain avec des bananiers, des manguiers, des avocatiers et des orangers. Elle vit seule, élève des perruches et, c'est une chance, elle est veuve. C'est une chance, car le vieux, pour sûr, ne nous aurait pas laissés voler des fruits.

Nous avons tous été d'accord. Toni et Manolo ont sauté par-dessus la clôture, et nous, nous avons surveillé pour voir si la voisine venait. Tout a bien été, jusqu'à ce que Manolo dise qu'il en avait plus qu'assez de manger des fruits, que, pour lui, manger une perruche rôtie ou un poulet rôti, c'était pareil. Aucune perruche ne s'est laissé attraper et cela a provoqué une panique qui a alerté la voisine. Manolo n'a eu que le temps de sauter la clôture. La vieille l'a vu et s'est dépêchée de faire le tour pour venir se plaindre.

Elle était furieuse, mais ma cousine, qui est polie, l'a très bien accueillie et l'a fait entrer pour qu'elle puisse s'asseoir un petit moment. La vieille dame, entendant ma cousine parler espagnol, a été très contente.

– Ah, mais vous êtes cubains ! Quelle joie ! Moi aussi je suis cubaine.

– Cubaine ? a demandé ma cousine, car cette dame parlait avec un accent étranger. Elle prononçait le « R » comme un « G ».

– Oui, enfin…, c'est-à-dire que je me sens cubaine, mais je suis née en Russie.

Puis elle s'est mise à parler sans arrêt :

– Je ne me souviens pas de la Russie, car j'en suis partie très petite. Mes parents ont fui en Pologne. Là-bas, quand j'ai été jeune fille, j'ai dû m'habiller en noir comme les vieilles dames, par crainte des soldats. Lorsque les soldats allemands ont envahi la Pologne, il a fallu s'enfuir. Je suis partie, sais-tu comment ? Accrochée sous une « chagette » ! [J'ai ri car elle a dit « chagette » au lieu de « charrette ».] Ainsi, avec l'aide de familles juives, je suis arrivée à Paris, et enfin à Cuba. Mon mari avait une boutique dans la rue Muralla. Les Cubains ont été très bons avec nous ! C'est pour cela que j'aime tant Cuba. Après, nous sommes venus ici par crainte du communisme, mais Simon est mort et j'ai tant souffert ! Je suis si seule ! Ah, si je n'avais pas mes petites perruches !

Elle a soupiré, et ma cousine en a profité pour lui dire :

– Nous aussi, nous souffrons beaucoup. Figurez-vous qu'en ce moment nous n'avons rien à manger.

– Vous n'avez rien à manger ?

– Non, madame, rien. C'est pour cela que mon cousin a pris quelques fruits dans votre jardin.

– Ce n'est pas possible ! C'est impensable ! Je vais chez moi immédiatement et vous allez voir quel petit repas je vais vous préparer. Dans une heure, je suis de retour.

Quand elle est revenue, elle portait des petites casseroles en terre emboîtées les unes dans les autres. Elle les a posées sur la table de la cuisine et les a découvertes :

– Regardez : de la viande rôtie, du riz, des petites bananes frites…

Nous ne lui avons même pas donné le temps de finir sa phrase, car nous nous sommes emparés des casseroles et avons mangé sans cuillère, sans fourchette, en coupant les morceaux de viande avec les doigts.

– Quelle horreur ! Quelle horreur ! a dit la voisine. On dirait des loups !

Toni pense que c'est elle qui a alerté l'agence qui s'occupe des enfants abandonnés, et qui s'appelle ici *Child Welfare*[4], car le lendemain nous avons entendu une automobile. Nous avons regardé à travers les persiennes et avons vu s'approcher, sur le chemin menant à l'entrée, une dame, grande, très droite, à l'allure d'une directrice de collège, une valise à la main et portant des lunettes noires. Méfiants, nous n'avons pas ouvert, mais elle s'est dirigée vers la porte du fond. Lorsque nous sommes allés voir, elle se tenait debout au milieu de la pièce. Alors elle nous a interrogés :

– Qui est l'aîné ?

Mon cousin Manolo et mon frère Toni ont dit que c'étaient eux. Elle a noté le nom et l'âge de chacun.

– N'y a-t-il pas ici un adulte qui s'occupe de vous ?

– Mon grand-père, ai-je dit, mais il ne s'occupe pas de nous.

– Il est malade ?

– Non. Il est fou à lier, a dit Cleto.

– Depuis une semaine, il ne sort pas de sa chambre, a dit Toni.

– Nous n'avons rien à manger, a ajouté ma cousine.

– C'est épouvantable ! C'est atroce ! répétait la dame. Je vais faire immédiatement un rapport et je reviendrai demain.

Le lendemain, elle est revenue et a dit que tout était réglé.

– Voyons : Manuel, Jorge et Anacleto Gómez.

– C'est nous, ont dit mes cousins.

– Vous irez dans un collège d'Atlanta.

Par la suite, on a su que ce n'était pas un collège, mais plutôt une maison de redressement. Mes cousins se sont enfuis, ont volé une auto et leur photo a été publiée par les journaux. Mes cousins ont dit qu'ils n'avaient pas d'argent pour regagner Miami. De toute façon, on les a reconduits dans la maison de redressement. Je n'ai plus jamais eu de nouvelles d'eux.

– Antonio et Jesús Lendián.

– C'est nous, a dit mon frère.

– Bien. Vous, vous irez dans un *foster home*.

Je n'ai même pas eu le temps de demander ce que c'était, car la dame s'est adressée tout de suite à ma cousine :

– Toi, tu en as de la chance ! J'ai obtenu pour toi une bourse dans un splendide collège tenu par des religieuses.

– Et mon petit frère ?

– Ton petit frère, pour le moment, il faudra l'envoyer à…

Ma cousine ne l'a pas laissée terminer. Elle a saisi Panchito, l'a serré dans ses bras et a crié comme une bête fauve :

– Madame, pour me séparer de mon petit frère, vous devrez me tuer !

– Écoute, ma fille, c'est aussi dur pour nous que pour vous. Sais-tu comme il est difficile de placer sept enfants ? Tous les jours, il arrive plus d'enfants que nous ne pouvons en accepter. Nous n'y suffisons plus !

– Pourquoi alors ne nous laisse-t-on pas dans cette maison et ne nous donne-t-on pas à manger ? Nous ne voulons pas être séparés. Nous sommes cousins !

– Je vais voir ce que je peux faire pour toi. Les autres, rassemblez vos vêtements. Je serai ici demain à huit heures.

Le lendemain, elle est venue avec un policier. Elle nous a tous réunis et nous a dit :

– Vous ne pouvez pas rester ensemble, et encore moins seuls. Ici, c'est la loi, tous les enfants doivent aller à l'école. Pour toi, Maria, j'ai trouvé une famille cubaine qui est disposée à se charger de toi et de ton petit frère. Tu seras très bien dans cette famille. Les autres iront là où nous avons décidé.

– Et si nous ne voulons pas ? a demandé Toni.

– Je devrai vous emmener au tribunal et le juge décidera. Mais ce sera peut-être pire pour vous, car il se peut qu'on vous envoie au Colorado ou dans quelque État du Nord. Ce sera alors très difficile de vous voir.

Mon frère Toni s'est approché de ma cousine et lui a dit tout bas :

– Écoute, Maria, je crois que le mieux pour toi c'est que tu t'en ailles avec Panchito. Nous n'allons pas faire plus d'histoires.

– Et le grand-père ? ai-je demandé.

– Il ira à l'hôpital pour se faire soigner.

Le policier, qui s'impatientait car il ne comprenait rien à ce que nous disions, a dit :

– *O K. Let's go* !

Nous avons d'abord déposé ma cousine et Panchito dans une maison verte, où ils ont été accueillis en espagnol. Nous nous sommes dit au revoir sans avoir l'air triste ; nous n'avions pas le temps, bien que avoir l'air triste ne prenne pas beaucoup de temps ! Quand j'ai vu Panchito marcher en tenant la main de ma cousine, j'ai pensé : pourvu qu'ils mangent bien !

– Au revoir, Maria. Dès que je pourrai, je te téléphonerai, a dit Manolo.

———

Puis, nous avons laissé mes cousins à Matecumbe, qui n'était pas du tout un collège. Il n'y avait pas de tennis, ni de piscine, et je n'ai vu aucun cheval nulle part.

– À très bientôt, a dit Manolo.

Nous savions tous que « bientôt » cela peut être très long, mais personne n'a rien dit. Cleto m'a regardé avec les yeux pleins de larmes, tout en se mordant les lèvres.

– Au revoir, Cleto.

Puis j'ai pensé à l'endroit où ils nous emmenaient, mon frère et moi. C'était très loin. Il a fallu prendre des routes qui passent les unes par-dessus les autres, jusqu'à ce que nous arrivions à celle qui s'appelle « Palmetto ». Ensuite, nous en avons pris une autre qui s'appelle « Tamiami ». Celle-ci longe un canal et est bordée d'une rangée de pins très hauts. Moi, je n'aime pas les pins. Nous sommes allés encore plus loin, toujours plus loin, jusqu'au bout de Miami, là où la campagne est très plate, sans une colline, avec des canaux dont l'eau est verte, de très hautes herbes et des arbres tout maigres. En regardant bien, ce qu'on voyait sous les hautes herbes c'était de l'eau ou de la vase.

Nous sommes enfin arrivés à une sorte de restaurant. Dehors, il y avait un énorme flamant en plâtre, se tenant sur une patte, et un crocodile, en plâtre aussi, qui avait la gueule ouverte d'où pendait un écriteau : « Hamburgers de crocodile ». J'ai pensé : quelle horreur ! Derrière le restaurant, il y avait une vieille maison en bois et, autour, un cimetière d'automobiles sans roues ou sans volant ou sans garde-boue, des camions écrabouillés et des bicyclettes cassées. D'un côté, dans une grande cage grillagée, il y avait plusieurs tortues, et, dans une haute cage, une sorte de tigre, qui n'était pas un tigre, mais un autre animal ressemblant à un grand chat, sans être non plus un chat.

Ce qui m'a le mieux plu, c'est que, derrière la maison, il y avait un canal. Des canots plats, équipés de moteurs comme ceux des avions, faisaient énormément de bruit. Le canal, on le voyait à peine à cause de l'herbe. Quand nous sommes arrivés, j'ai vu passer une vraie Indienne, vêtue d'une jupe multicolore, ses cheveux relevés en chignon si particulier qu'il ressemblait à un chapeau ou à un toit. Près de nous, sur un pont, il y avait plusieurs hommes et femmes noirs, très gros, coiffés de chapeaux de paille. Ils pêchaient à la ligne, et j'ai pensé qu'un jour je pourrais pêcher avec eux. Cet endroit m'a paru très amusant – sauf pour les moustiques qui commençaient déjà à me piquer.

Un homme grand et gros, aux cheveux roux, nous a accueillis. Il portait une chemisette et suait à grosses gouttes en réparant la roue d'une automobile. Quand il s'est approché, il empestait... Il a essuyé son front avec un doigt, en guise d'essuie-glace, et a été très content de tendre sa main sale à la « Mère j'ordonne » qui nous accompagnait.

– Maman ! Maman ! s'est-il mis à crier.

« Maman », c'était sa femme. Elles s'est approchée, vêtue d'une robe à fleurs qui ressemblait à une tente. Ses sandales laissaient voir ses doigts sales. L'homme et la femme se sont mis à rire comme s'ils étaient heureux de nous voir. Je me demandais pourquoi, puisqu'ils ne nous connaissaient pas. Lui, il avait les dents jaunes. Elle, elle avait un visage à la peau lisse et gonflée, qui ressemblait à un globe. Elle marchait les bras écartés du corps.

La dame responsable a tout de suite parlé avec eux. Ils répondaient toujours « oui ». Je suppose qu'elle leur donnait des ordres, ou bien leur disait qui nous étions. Je ne sais pas car je ne comprenais pas un mot.

Tout à coup, ils ont appelé :

– Juan ! Joshua ! et deux garçons sont sortis de la maison.

L'un était petit et maigre ; il est devenu ensuite mon grand ami. L'autre était très gros et avait un visage niais ; il portait un chapeau texan. Ses cheveux qui tombaient sur ses épaules étaient presque blancs.

La responsable nous a dit au revoir et est partie.

Nous sommes tous entrés dans la vieille maison qui sentait le moisi et la crasse. À l'intérieur, il y avait deux sofas dont l'un était percé, un très grand téléviseur, un fauteuil inclinable tout rapiécé et plusieurs chaises boiteuses. Tout était si sale que j'ai été content lorsque le petit garçon porto-ricain, qui parlait espagnol, nous a dit :

– Venez, ce n'est pas ici. C'est là-bas derrière.

Derrière, il y avait une maison en métal avec des roues, qu'ils appellent ici *trailers*, et quatre couchettes à l'intérieur. Moi, à cause de mon problème, j'ai réclamé tout de suite celle du bas, mais « maman » ne m'a pas compris et a posé mon sac sur celle du haut. Les seuls mots qu'elle savait dire en espagnol, c'étaient *sombrero* et *olé*. Elle les répétait tout le temps et cela l'amusait beaucoup. D'ailleurs, tout la faisait rire, et elle continuait à rire même quand elle n'en avait plus envie. Moi, je n'aime pas que les gens rient tant.

Enfin, elle nous a dit :

– Au revoir les amis.

Sur le point de s'en aller, elle a levé un bras comme si elle dansait et a crié :

– Olé !

J'ai pensé qu'elle était peut-être aussi folle que le grand-père et j'ai demandé au petit garçon :

– Il semble que « maman » est un peu fêlée, non ?

– Non. Tout simplement, elle essaie de te plaire. Tu verras, elle est gentille.

Il m'a dit alors qu'il s'appelait Juan Martínez et qu'il était porto-ricain. Moi je lui ai dit que je m'appelais Jesús Lendián et que j'étais cubain.

– Jesús ?

– Oui, Jesús.

– Ah, mon Dieu ! a-t-il dit, et il a ri.

Juan passait son temps à dire : « Ah, mon Dieu ! » et « ne t'en fais pas » ou « ne me casse pas les pieds ». Le Porto-Ricain parle espagnol, tout comme le Cubain, mais il prononce le « R » comme un « L ».

– Ici, tu ne peux pas t'appeler Jesús. Tu vas avoir des tas de problèmes ! Pourquoi ne changes-tu pas ton nom tout de suite ?

– Parce que c'est le mien et je n'en ai pas envie.

– Bon, mon petit, ne t'en fais pas, ne t'en fais pas.

———

Toi aussi, tu es orphelin ?

– Non, mes parents sont à Cuba.

– Ah ! dit-il, en regardant par terre.

Cela m'a fait de la peine et je lui ai dit :

– C'est tout comme. C'est comme si j'étais orphe-lin, puisque je ne les vois pas. Je ne sais même pas si je les reverrai un jour.

Il m'a semblé alors que c'était lui qui, maintenant, avait de la peine, car il m'a dit que « maman » et Mike étaient bons et nous traiteraient bien, sauf le samedi.

– Pourquoi le samedi ?

– Parce que, le samedi, ils boivent beaucoup de bière, et cela donne envie à Mike de se bagarrer. Ce jour-là, il est préférable de ne pas être là.

Alors je lui ai demandé à quoi servaient ces bateaux qui ressemblaient à des avions. Il m'a répondu que c'était pour se déplacer au-dessus de l'herbe.

– Mike les loue.

Je l'ai questionné sur les serpents et il m'a dit que c'était pour les touristes, et qu'il fallait faire très atten-tion car ici il y avait énormément de couleuvres et d'autres serpents :

– Il y en a de très très méchants. S'ils te piquent, tu meurs en quatre minutes : ce sont les serpents coraux.

Il vaut mieux que tu apprennes à les reconnaître, car il y a des serpents coraux qui ne sont pas dangereux, et d'autres qui le sont. Ceux qui ne te feront rien ont une raie noire entre chaque raie rouge et jaune. Les serpents venimeux n'ont que des raies rouge et jaune. Tu comprends ? Ainsi, tu seras tranquille. Ce qu'il faut, c'est faire attention.

Je lui ai dit que je ferais attention, mais j'ai pensé que je me mettrais à courir dès que je verrais un serpent, quel que soit l'emplacement des raies. Le tigre-chat que j'ai vu dans la cage n'était ni un chat, ni un tigre, mais un ocelot. Juanito m'a dit que, par ici, il y en avait énormément, ainsi que des sangliers, des porcs sauvages, des cerfs et même des ours. Juanito était peut-être un peu menteur.

Lorsque je lui ai demandé depuis quand il était ici, il m'a répondu qu'il ne s'en souvenait pas, mais qu'il y avait très longtemps, que sa mère était morte à New York, que sa grand-mère était morte ensuite, très vieille. Son père devait être mort aussi, bien qu'il n'en soit pas sûr. Il ne l'avait jamais vu. Ce pauvre garçon, si maigre et si chétif, était en plus si orphelin ! Mais il semblait que cela ne lui faisait pas grand-chose, ou bien il s'y était habitué, car il passait son temps à rire ou à chanter.

– Dis, Juanito, qu'est-ce-que c'est qu'un *foster home* ?

– C'est quand le gouvernement paie quelqu'un pour s'occuper d'enfants. Maintenant que nous sommes quatre, Mike et « maman » vont recevoir pas mal d'argent.

En somme, nous étions une affaire, comme le restaurant, la réparation des machines ou les touristes qui venaient une fois par an se promener en bateau sur l'herbe et manger des hamburgers de crocodile.

– Ils sont vraiment faits avec du crocodile ?

– Quoi ?

– Les hamburgers.

– T'as vu des vaches par ici ? Bien sûr que c'est du crocodile ! Enfin, du caïman, ce qui est plus ou moins la même chose.

Cette nuit-là, Juanito m'a prouvé qu'il était vraiment mon ami, car j'ai fait pipi au lit, et, comme j'étais sur la couchette d'en haut, et lui sur celle d'en bas... Je ne l'ai pas fait exprès car cela m'arrive en dormant.

Il m'a réveillé en criant : « Hé, petit, retiens-toi, retiens-toi ! » J'ai pensé qu'il allait me battre, mais non, au contraire, il s'est mis à rire et m'a dit, tout en se séchant la figure :

– Ne t'en fais pas, mon vieux. Moi aussi, j'ai le

même problème. C'est pour cela que « maman » t'a mis là-haut.

À partir de ce moment-là, nous avons été comme les deux doigts de la main.

Moi, je m'entendais bien avec les Jones, à part qu'ils sentaient presque toujours mauvais – sauf le dimanche car ils prenaient un bain – et que le chien avait des tiques. « Maman » les lui enlevait, tout en regardant la télévision, et, si elle en attrapait une grosse, elle faisait « paf ! » et l'écrasait avec ses ongles. Puis, comme si de rien n'était, elle s'essuyait les mains sur sa robe, et moi, ni vu ni connu, je mangeais les hamburgers de crocodile qu'elle faisait !

Juanito et moi étions toujours ensemble. Mon frère et Joshua ne se quittaient pas non plus. Parfois, nous allions pêcher, en général le dimanche, jour où beaucoup de vieilles et de vieux Noirs venaient passer la journée à cela. Ils amenaient des quantités de petits Noirs et nous jouions avec eux. Puis, leur mère ou leur grand-mère – je ne sais pas, car j'ai toujours du mal à deviner l'âge des gens qui sont gros – nous demandait si nous voulions du poulet frit. Moi, je disais toujours oui. Un jour, nous étions en train de pêcher avec eux lorsque Juanito m'a dit :

– Regarde, ne t'approche pas de l'eau, il y a des caïmans.

– Oui, lui ai-je dit, il y a aussi une baleine et deux requins.

– Regarde là !

Deux petits yeux noirs me regardaient au-dessus de l'eau.

Juanito a pris une pierre, l'a jetée et le caïman a ouvert la gueule, puis a donné un coup de queue et a disparu dans l'eau vaseuse.

Lorsque nous sommes rentrés à la maison, Juanito a raconté à Mike l'histoire du caïman. Moi, je lui ai dit que nous avions mangé du poulet frit avec les Noirs. Mike m'a regardé comme s'il ne me comprenait pas, puis il est devenu furieux – c'était samedi et il avait bu beaucoup de bière – et s'est mis à crier :

– *Damned Niggers ! Damned Niggers !* Je savais que *dam* était un gros mot, et *Nigger* ressemble à nègre, mais je n'ai pas compris pourquoi Mike les insultait, puisqu'il ne les connaissait pas. Juanito m'a expliqué que Mike est un *red neck*, c'est-à-dire une « nuque rouge ». Ici, c'est ainsi que l'on appelle les paysans blancs, et les « nuques rouges » ne peuvent pas voir les Noirs en peinture. Mike avait mis un écriteau au restaurant : « Club privé ». Juanito m'a dit que c'était pour ne pas avoir à servir les Noirs. Bien sûr, si un Noir allait à la police et le dénonçait, Mike aurait à payer une amende, à moins que le policier, lui aussi, haïsse les Noirs. Tout ceci m'a paru très étrange, car à Cuba j'avais l'habitude de jouer avec les Noirs du quartier. J'ai donc décidé de continuer à pêcher avec eux chaque fois que je le pourrais.

Osceola aussi était mon ami : c'était l'Indien que Mike payait deux dollars pour lutter avec le crocodile quand les touristes venaient. L'hiver, ils arrivaient dans leurs automobiles luxueuses. Les hommes étaient vêtus de pantalons rouge et vert, et de chemises imprimées de palmiers ou de dessins divers. Les femmes portaient des robes de couleurs criardes. Ils étaient presque tous vieux. Alors, Osceola attrapait le pauvre crocodile, lui ouvrait la gueule, le renversait pattes en l'air, puis montait dessus. Il l'ennuyait tant qu'à la fin le malheureux crocodile lui envoyait un coup de queue. Pendant ce temps, Mike parlait et disait des tas de mensonges : que le crocodile avait tué deux hommes, que c'était une bête féroce et que seul le grand Osceola avait le courage de pénétrer dans sa cage. Les vieux croyaient tout ce qu'on leur disait et applaudissaient comme des fous. Ils payaient même un supplément pour que Osceola introduise sa tête dans la gueule du crocodile. Lorsque enfin ils laissaient le pauvre malheureux prendre un bain de soleil, les yeux à demi clos, Mike emmenait les vieux faire une promenade sur l'herbe sur ces bateaux à moteurs d'avion, et leur demandait encore cinq dollars. Pendant ce temps, il leur disait que, par là, vivaient encore des Indiens féroces et que, il y a environ trente ans, ils avaient mis le feu à la maison d'un monsieur très connu. Puis, Mike leur faisait manger des hamburgers de crocodile, préparés par « maman », et boire de la bière. Les vieux étaient très contents et se faisaient photographier avec Osceola et le crocodile.

Un jour, Osceola m'a emmené chez lui, dans un petit village près de la route 41. Là, tout près, il y a un édifice moderne avec un écriteau : « Centre culturel de la tribu Micosuki », pour que cela se voie de la route. Mais les cases des Indiens sont presque toujours dégoûtantes, faites de branches et de feuilles de palmiers, de même que les *bohios*[5] à Cuba. Elles n'ont pas de murs, mais seulement un toit. À l'entrée du village, il y a une boutique avec un totem devant la porte, où la mère d'Osceola vend des objets faits par les Indiens. Le totem est un bâton représentant la tête d'un Indien avec un serpent enroulé et des espèces d'ailes sur les côtés. Seule la famille d'Osceola vit dans ce village. Ses parents y ont une maison, c'est-à-dire un toit, et chacun de ses frères en a une autre semblable. Toutes les maisons sont disposées autour d'un espace vide. L'une de ces bicoques est la cuisine. Un feu de bois est toujours allumé.

La mère d'Osceola est une Indienne toute petite, raide comme si elle avait mal au cou et ne pouvait pas bien le remuer. Elle dessine ses sourcils avec un crayon, droits au début, puis courbés vers le haut. Je me demande si elle trouve cela beau. Elle m'a salué d'un air très sérieux, en inclinant la tête en signe affirmatif, et m'a parlé en indien. Puis elle s'est mise à coudre des petites bandes de toutes les couleurs avec une machine comme celle de ma grand-mère.

Le père d'Osceola s'appelle Homero. Il a les cheveux plats et longs, le visage plein de rides très profondes, et sa peau ressemble à du carton.

Quand nous sommes arrivés, il était dans sa bicoque en train de tailler du bois avec un couteau. C'est lui qui fait les haches, les tambours et les totems que sa femme vend dans la boutique. Il semblait absent. Peut-être ne voulait-il pas être dérangé, car il ne m'a pas même regardé. Quand il a levé les yeux, Osceola lui parlant de moi, j'ai vu qu'il avait de tout petits yeux, très noirs, comme pleins de haine. Il faisait celui qui ne parlait pas anglais. Il semblait très

fatigué et très triste, ou alors il se méfiait. Il a continué à travailler sans dire un mot.

Au moment de notre départ, lorsque je lui ai
tendu la main et lui ai dit : « Au revoir, monsieur », il
m'a regardé fixement et il m'a semblé qu'à cet instant
il avait souri.

En sortant de sa case, j'ai vu un écriteau :
« Entrée : cinquante centimes ».

– C'est ce que nous demandons aux touristes, m'a
dit Osceola.

J'ai pensé que ce devait être pénible, quand on est
chez soi, de recevoir des inconnus qui paient pour
voir un Indien, comme si c'était un singe.

– Dis donc, m'a demandé Osceola, mon père t'a
parlé ?

J'ai fait un signe négatif.

– T'es pas étonné ?

J'ai haussé les épaules, au lieu de lui répondre :
« Je ne sais pas. »

– Tu t'attendais à voir un Indien avec des plumes
sur la tête, et faisant des bonds autour du feu, non ?

Je lui ai dit « non », mais j'ai pensé « oui ».

– Nous, les Indiens, nous avons raison d'être
méfiants et tristes, comme mon père.

– Il parle anglais ?

– Il le parle mieux que moi ! Et il connaît très bien l'histoire. C'est lui qui l'apprend à ses petits-enfants.

– Ils ne vont pas à l'école ?

– Non. Mon père ne veut pas qu'ils y aillent.

– Pourquoi ?

– Pour qu'ils n'apprennent pas les vilaines choses des Blancs. De plus, s'ils prennent les habitudes des Blancs, ils perdront les nôtres. Un seul enfant y va, au cas où..., le plus intelligent, pour qu'il puisse écrire et s'occuper des affaires de la tribu.

– Alors, les autres n'apprennent rien ?

– Au contraire, ils apprennent beaucoup.

– Comment cela ?

– Tout ce qui nous concerne, nos contes, notre histoire. De plus, n'importe quel enfant indien sait chasser et pêcher mieux qu'un enfant blanc.

– Mais, ici aux États-Unis, il n'y a pas une loi qui dit que tous les enfants doivent aller à l'école ?

– Nous ne faisons pas partie des États-Unis, m'a-t-il dit, presque fier.

Je l'ai regardé avec étonnement.

– Nous sommes une nation à part et nous voulons le rester.

– Osceola ?

– Quoi ?

– Toi non plus, tu n'aimes pas les Blancs ?

– Quelques-uns, si. Mais la majorité d'entre eux n'a pas été bonne avec nous.

Il m'a alors raconté son histoire.

Il y a très longtemps, les Indiens *seminoles* et *micosukis*[6], venus du nord pour fuir les Blancs, ont décidé de s'établir en Floride, pour être libres. Là, il n'y avait pratiquement que des marécages. Mais, quand ils ont construit leurs petits villages et cultivé la terre, les Blancs sont venus coloniser, ont commencé à capturer les Indiens et les ont embarqués vers l'ouest, vers l'Oklahoma. Les Blancs s'emparaient aussi bien de tout une famille que des enfants ou des parents, et les ·uns n'avaient plus de nouvelles des autres. Les Indiens ont lutté énormément. Les guerres des Indiens *seminoles* contre les Blancs ont duré plus de cent ans. L'un, qui s'appelait Osceola…

– Il s'appelait comme toi ? lui ai-je dit.

– Non, m'a répondu Osceola. C'est moi qui m'appelle comme lui. Osceola a lutté toute sa vie et les Blancs n'ont jamais pu le vaincre. Alors, ils ont dit qu'ils allaient faire un pacte avec lui et l'ont emmené pour le lui faire signer. Osceola s'est approché de la table, a sorti son couteau, a tranché le papier et a dit que c'était la seule signature que les Blancs obtiendraient de lui. Ils ont fini par le tuer et, après sa mort, lui ont arraché la tête. Les Indiens ont continué leurs guérillas. Les Américains ont envoyé des armées sans parvenir à les dominer. Enfin, ne sachant que faire, ils ont confisqué des terres dont ils ont fait des « réserves », obligeant tous les Indiens à y vivre, même s'ils ne le voulaient pas. Beaucoup d'entre eux ont dit que cela équivalait à être prisonniers et ont fui jusqu'au sud de la Floride. Mais là il n'y avait que de l'eau, de la vase, des crocodiles, des moustiques et une chaleur de tous les diables, et ils sont tombés comme des mouches. Seuls cinq cents Indiens ont survécu. Alors, comme les Indiens n'avaient pas de terre où semer, ils ont décidé de construire leurs villages près de la route et de gagner un peu d'argent en vendant des objets aux touristes. Les Américains leur avaient tout pris et ils ne les ont même pas laissés en paix. Il y a quelques années, j'ai été fait prisonnier, car ils ont dit qu'à côté du peu de maïs que j'avais pu semer j'avais fait de la marihuana. Un type comme Mike dit encore que nous sommes féroces et que nous avons mis le feu à la maison d'un Blanc ! Maintenant, tu comprends, petit ?

– Oui, lui ai-je dit.

Avant de se quitter, comme s'il voulait me dire

qu'il pouvait être mon ami, il m'a confié :

– Mon arrière-arrière-grand-père était le fils d'un Espagnol et d'une Indienne. Son père était pêcheur et l'avait emmené pour le faire baptiser à La Havane. C'est pour cela que mon père s'appelle Homero.

Il est resté pensif un moment, puis il a ajouté :

– Peut-être que toi, Kike, tu ne t'en rends pas encore compte, mais, entre nous, les Indiens, et vous, les Cubains qui arrivez, il y a ou il devrait y avoir quelque chose en commun. Vous pourriez peut-être apprendre avec nous à rester vous-mêmes.

Lorsque je suis rentré chez Mike, Juanito est venu à ma rencontre et m'a posé des tas de questions : as-tu vu le vieux ? T'a-t-il parlé ? T'ont-ils dit quand est la fête du maïs ? J'avais plus envie d'être seul que de lui répondre. Il me semblait que j'avais été très loin, presque dans un autre monde, ou que, subitement, quelqu'un m'avait ouvert l'une de ces pièces qu'il y a dans les maisons, où l'on garde des vieilleries, où tout sent le moisi, et où il y a peut-être des fantômes.

Osceola est resté mon ami et il m'a raconté des choses qui parfois m'ont semblé très étranges. Il croit qu'il y a des hommes tout petits, de la taille de ma main, qui vivent dans la terre et sortent la nuit pour s'amuser et faire des méchancetés ; il faut leur déposer des récipients avec du lait car ils sont affamés. Il parle aussi de serpents énormes et dit qu'il faut faire attention de ne pas les rencontrer car ils portent mal-chance.

Il m'a raconté que, avant, les Indiens ne portaient pas de jeans, mais des jupes. Ils faisaient des canoës avec des troncs d'arbres et n'enterraient pas leurs morts dans les cimetières, comme maintenant. Lorsque son grand-père est mort, au lieu de l'enterrer, ils l'ont emporté à l'intérieur du pays, loin du village, et l'ont laissé dans une sorte de petite maison comme la leur, faite de quatre bâtons et d'un toit. Puis, la famille lui a apporté sa pipe, son fusil, sa vaisselle, et les a brisés pour qu'ils meurent aussi et s'en aillent avec le mort au cas où il en aurait besoin.

Je pense aux gens qui passent par ici dans leurs automobiles ou leurs avions. Ils ne savent rien, et cela n'intéresse personne de savoir qui sont vraiment les Indiens, ni comment ils vivent.

L'endroit où je vis avec Mike et « maman » s'appelle les « Everglades ». En saison, beaucoup de gens y vien-nent pour chasser. Il y a une chose que je ne com-prends pas : si l'on tue un aigle, on a une amende ; partout on colle des affiches pour interdire de les tuer. Je ne sais pas si c'est parce qu'il en reste peu, mais il reste aussi peu d'Indiens et, pour eux, il n'y a aucun écriteau... Si l'on tue un cerf, en dehors de la saison de la chasse, on a également une amende, mais, une fois par an, c'est permis ; on peut alors tuer autant de cerfs que l'on veut, sauf les tout-petits et les femelles qui vont avoir des petits.

Lorsque commence la saison de la chasse, toute la région se remplit de gens qui viennent en camions ou en tracteurs dont les roues sont énormes pour ne pas s'enfoncer dans la vase. Ils ont de très bons fusils et des chiens d'arrêt qui flairent où se trouvent les cerfs.

Un jour, nous avons été invités, Juanito et moi, à aller à la chasse, et je me suis beaucoup amusé à me promener sur les tracteurs et à tirer. Un médecin cubain, assez riche pour dépenser son argent en fusils et en balles, m'a appris à tirer. Il était accompagné de quelques chiens de race qui valent très cher. Juanito m'a dit que ces chiens sont dressés pour la chasse dans des écoles spécialisées. J'ai pensé que ce n'était pas vrai, mais ce médecin cubain m'a confirmé qu'il avait envoyé deux de ses chiens dans une école à New York. Il me semble que ce sont les enfants qui doivent aller à l'école, plutôt que les chiens, mais je ne le lui ai pas dit car je m'amusais vraiment bien, et peut-être il n'aurait pas aimé cela.

Très tôt dans la matinée, le médecin a fait rôtir un cochon de lait, et tout le monde s'est assis autour et a chanté des chansons cubaines. Il me semblait que j'étais dans la propriété de mes parents. Cela m'a beaucoup plu, jusqu'à ce qu'ils tuent un cerf et qu'ils lui attachent les pattes à un bâton pour l'emporter. Le cerf avait les yeux ouverts et perdait du sang. Alors je n'ai pu supporter ces hommes, bien qu'ils fussent cubains, et j'ai réfléchi que, la prochaine fois, avant le début de la chasse, Juanito et moi ferions fuir tous les cerfs. Juanito m'a dit que heureusement il y a une vieille dame riche qui passe son temps à demander que l'on interdise la chasse aux cerfs ; elle en parle même aux hommes politiques, mais il semble que la majorité des gens préfère tuer les cerfs plutôt que de les voir vivre.

Des tas de motocyclistes viennent aussi aux Everglades. Sans exagérer, il y a parfois une centaine de motos. Ceux qui les conduisent portent un casque noir et un blouson de cuir noir, ainsi que des lunettes comme celles des pilotes dans les vieux films ; c'est à peine si on leur voit le visage. Il arrive même que l'on ne sache pas si ce sont des hommes ou des femmes, car ils sont habillés pareils et portent des cheveux longs. Grâce aux motocyclistes, j'ai fait la connaissance de Paco.

Le pauvre petit animal était sorti sur la route et, comme il faisait noir, ils ne l'ont pas vu et ils l'ont écrasé. Juanito et moi l'avons recueilli, l'avons soigné et l'avons mis dans une cage. Paco est un *racoon*[7], mais je ne sais pas comment on dit en espagnol. L'ennui, c'est que je ne parle pas encore l'anglais et que je suis en train d'oublier l'espagnol. Juanito m'a dit que c'était un *carcajou*[8], mais, comme parfois il invente ce qu'il ne sait pas, il vaut mieux que je le décrive : c'est un petit animal à poils qui ressemble à un écureuil. Il a une grande queue et une tache noire autour des yeux, comme un masque. Ce qui me plaît le plus chez Paco, ce sont ces sortes de petits doigts avec des ongles qu'il a à ses pattes de devant et de derrière. Quand je lui ai donné du lait au biberon, c'était comique de voir comment il s'y agrippait avec ses ongles. Mais il a grandi très vite et Osceola m'a dit que les animaux, comme les hommes, ne devaient pas être prisonniers, et qu'il fallait les élever pour une vie sauvage, et leur apprendre ainsi à se défendre. « Les animaux ne sont pas des jouets, Kike », m'a-t-il dit, mais moi je pensais que ce petit animal ressemblait à un jouet. Depuis que je suis parti de Cuba, personne ne m'avait fait de cadeau, sauf Toni, et, mon anniversaire approchant, j'avais envie de le garder pour moi. Osceola a insisté et m'a dit que, si j'aimais vraiment Paco, je devais le libérer pour qu'il apprenne à vivre en liberté. Paco s'est accroché à ma chemise avec ses petits ongles, comme s'il comprenait qu'Osceola allait me convaincre. Cela m'a fait de la peine, car je m'étais attaché à lui. Je lui ai expliqué :

– Écoute, Paco, Osceola a raison. Tu es déjà grand et tu dois apprendre à te débrouiller tout seul. Sinon, tu ne seras jamais un *racoon* ou un *carcajou*, enfin ce que tu dois être, comme les autres de ton espèce.

Alors j'ai ouvert sa cage et lui ai dit adieu, mais, le lendemain matin, je l'ai retrouvé à nouveau dans sa cage et il a été très content de me voir. Juanito et moi avons décidé, pour qu'il apprenne à vivre vraiment en liberté, de l'emmener plus loin, là où il ne pourrait pas nous retrouver.

Un jour, au cours d'une des promenades que faisait Mike avec les touristes sur le canot à moteur, nous avons emmené Paco avec nous. Nous nous sommes arrêtés sur une sorte de petite île – où Mike disait toujours qu'il y avait eu un camp d'Indiens courageux dont il ne restait plus que des traces – et je suis descendu avec Paco. Ici, bien que presque toute la campagne ne soit qu'un marécage, il y a aussi quelques endroits secs, comme cette île dont je parle, où l'on ne s'enfonce pas dans la vase. J'ai laissé Paco sous des arbres, là où je pourrais revenir dans quelques jours pour voir comment il allait. Lorsque Mike a fait démarrer le moteur et que nous sommes partis, le pauvre a levé son museau et a humé l'air. Il m'a semblé qu'il se rendait compte que nous le laissions seul.

Une semaine plus tard, il y a eu un incendie. Ici, l'été, il pleut tant que tout est inondé et les champs ressemblent à des lacs. Parfois, on ne peut même plus sortir des maisons. En revanche, l'hiver, il ne pleut pas du tout. Les arbres se dessèchent et il suffit de peu de chose – une allumette jetée par quelqu'un ou un petit morceau de verre qui chauffe trop – et le feu prend. Un arbre brûle, puis un autre, et ainsi de suite, jusqu'à ce que le feu se répande dans toute la campagne. On voit partout de la fumée noire, des flammes et des étincelles qui jaillissent comme si c'étaient des feux d'artifice. Parfois, l'incendie dure pendant des jours et personne ne l'éteint. Après, toute l'herbe est brûlée et les arbres sont secs, couverts de cendre. On retrouve aussi beaucoup d'animaux morts. C'est pour cela que, lorsque j'ai vu la petite île en feu, là où nous avions laissé Paco, j'ai aussitôt appelé Juanito qui dormait :

– Juanito, réveille-toi, il y a le feu ! Il faut sauver Paco !

Juanito a dit « Ah, mon Dieu ! » et s'est habillé en hâte. Nous avons alors appelé Toni et, sans rien dire à personne, nous sommes montés dans le canot. Au départ, pour que Mike ne nous entende pas, nous avons ramé, puis avons mis le moteur en marche. Lorsque nous sommes arrivés dans l'île, j'ai vu le pauvre Paco au milieu des flammes, figé par la peur et résigné à mourir. Mon frère Toni m'a crié :

– Non, Kike, ne fais pas l'idiot !

Mais j'ai sauté du canot sans réfléchir, ai traversé les flammes là où elles étaient les plus basses, ai saisi Paco et suis parti en courant. Ma chemise a pris feu. Je me suis roulé par terre, et Juanito et Toni ont jeté sur moi une couverture mouillée. Malgré cela, j'ai eu le dos brûlé et une énorme ampoule. Lorsque nous sommes arrivés à la maison, ils m'ont mis de la glace et de l'huile, car cela me faisait si mal que je ne pouvais pas m'endormir.

Depuis ce jour, je garde Paco dans sa cage avec la porte ouverte, mais il n'a jamais voulu se sauver. Il sort, fait son petit tour, monte sur un arbre et, dès qu'il fait nuit, il revient tout seul dans sa cage. Quand Osceola m'a dit à nouveau que je devais le libérer, je lui ai répondu que je ne pouvais pas l'obliger à s'en aller car, de même que moi je n'aime pas que l'on m'oblige à faire quelque chose que je ne veux pas faire, ce n'est pas bien d'obliger Paco à partir. Je pense aussi qu'il y a beaucoup de personnes qui ne sont pas libres et qui doivent pourtant se contenter de cette situation. Moi, au moins, je traiterai bien Paco.

Le lendemain, quand Mike a regardé le canot, il a demandé :

– Qui diable s'est servi du canot ?

Je ne sais pas comment il s'en est aperçu, peut-être parce que nous l'avions mal amarré.

– Ce sont eux ! a dit Joshua, qui s'en est pris à nous car nous parlons l'espagnol et qu'il ne comprend pas.

Mike s'est mis en colère, a enlevé sa ceinture et s'est dirigé vers nous pour nous fouetter, mais « maman » s'est placée devant nous, comme une mère poule, et a crié :

– Mike ! Mike ! Ne fais pas ça. On va nous enlever les enfants.

À cause de cela, de ce que j'ai dit par la suite, et aussi à cause de Tawami, nous avons dû partir d'ici.

Toni avait commencé à s'intéresser à Tawami, une Indienne *micosuki*. Il semble que les gens, quand ils tombent amoureux, deviennent à moitié idiots, car Toni s'est mis à écouter de la musique et à passer son temps avec son transistor collé à l'oreille. Quand on lui parlait, il était dans les nuages et ne répondait même pas. Il ne voulait jamais sortir jouer avec nous, au cas où Tawami viendrait chez Mike. J'ai oublié de dire que Mike achetait aux Indiens des porte-monnaie, des ceintures, des colliers et des petites cochonneries, du genre de celles qu'achètent les touristes.

Tawami faisait comme si elle venait apporter ces objets ou toucher l'argent, mais, en réalité, elle voulait voir mon frère. Si Toni ne la voyait pas pendant deux ou trois jours, il parcourait cinq lieues[8] jusqu'au village où Tawami vivait avec ses grands-parents. Je crois qu'il y allait avec Joshua, car il avait peur du frère de Tawami, un grand Indien au mauvais caractère qui pêchait avec un harpon. Les Indiens ne veulent pas que leurs femmes épousent des Blancs car dans vingt ans – étant si peu nombreux – il n'y aurait plus d'Indiens de race pure. Toni s'en moquait et je crois même qu'ils se sont fiancés.

Un jour que je jouais avec Paco, Juanito est arrivé en courant et m'a dit :

– Ah mon Dieu ! Cela va barder ! Le frère de Tawami arrive et Toni est avec elle !

– Où ?

– Là, sous cet arbre. Regarde !

Nous nous somme dépêchés d'aller prévenir Toni, qui, lorsqu'il nous a vus, a fait comme si de rien n'était. Il tenait Tawami dans ses bras et lui donnait un baiser comme dans les films.

Juanito a même crié :

– Toni, lâche-là, tu vas avoir des problèmes !

Toni n'en a rien fait.

Juanito m'a expliqué dans quelle histoire Toni allait se fourrer, car, si les Indiens n'aiment pas que leurs femmes se marient avec des Blancs, cela plaît encore moins aux Blancs que leurs fils se marient avec des Indiennes.

– Figure-toi qu'il y a des années un type blanc a donné des coups de bâton à trois Indiennes qui avaient été au bal avec son fils. On en a même parlé dans le journal. Osceola a gardé l'article.

Alors j'ai donné un terrible coup de sifflet. Tawami est partie en courant. Cette fois, il ne s'est rien passé, mais, si nous étions restés chez Mike, il se serait sûrement passé quelque chose.

Moi, je serais bien resté chez Mike, aux Everglades, malgré les incendies, les tempêtes, les tiques et les hamburgers de crocodile. Au moins, là, personne n'était derrière moi pour me dire ce qu'il fallait faire ou ne pas faire, ou m'obliger à aller à l'école.

De plus, tout seul, j'avais appris des tas de choses. C'était moi maintenant qui recevais les touristes, leur racontais que le crocodile était dangereux et que le grand Osceola était seul capable de le dompter. Je savais mon texte par cœur et ils se moquaient tous de mon accent. Mike m'avait appris à me servir du canot à moteur et, lorsque nous naviguions sur l'herbe, j'avais l'impression d'être dans mon avion et que le ciel était vert.

Je n'avais plus du tout peur des serpents et connaissais tous les oiseaux. Les pics, qui sont tout petits et cabochards, me faisaient rire, car ils essayaient de se poser sur les fils de fer et tombaient la tête la première. J'ai appris aussi à reconnaître beaucoup d'oiseaux à leur façon de voler. Les hirondelles volent dans tous les sens, comme des folles, et, lorsqu'elles sont nombreuses, il semble que c'est le ciel qui bouge. De près, les vautours sont affreux ; ils mangent de la viande pourrie. Mais, lorsqu'ils volent, ils vont et viennent si lentement, et sans bouger leurs ailes que c'est un plaisir de les regarder. En revanche, les pauvres canards qui arrivent, fuyant les zones froides, n'arrêtent pas de battre des ailes.

Ceux qui me plaisent le mieux, ce sont les hérons blancs. Au coucher du soleil, ils se posent tout en haut des palmiers nains, ou sur les pins, et se balancent. Puis ils étirent leur cou, qui est très long, et restent sans bouger, comme si quelqu'un les photographiait. Il y en a aussi qui marchent sur l'herbe, très lentement, sur leurs longues pattes, attentifs à tout ce qui les entoure. Par moments, ils étendent une patte, ouvrent une aile et restent ainsi, sans remuer, comme des danseuses.

Quand on vient pour la première fois aux Everglades, surtout s'il pleut, cela paraît très laid. Mais, après, on s'attache à ce paysage plat, sans la moindre colline, à ses palmiers nains, à ses arbres maigres et à ses canaux qui ressemblent à des fleuves. Au coucher du soleil, le ciel devient rouge, comme s'il y avait un incendie, et se remplit de petits nuages hauts, à moins que le ciel ne soit entièrement dégagé. Alors, le soleil est tout seul, comme une boule brûlante, jusqu'à ce qu'il disparaisse lentement, qu'il n'en reste plus que la moitié, puis un filet, et puis plus rien.

Mike et « maman » ne nous maltraitaient pas, mais c'étaient deux ivrognes. Le samedi, ils passaient leur temps à regarder la télévision et à boire de la bière jusqu'à une heure avancée de la nuit. Puis ils dormaient jusqu'au lendemain, sans s'occuper de nous.

Un dimanche, vers midi, la responsable qui nous avait amenés là s'est présentée. Elle a frappé à la porte. Mike s'est mis en colère car il dormait et ne voulait pas être dérangé. Il est sorti, les yeux rouges, et a dit à la dame, la langue à moitié emmêlée par toute la bière qu'il avait bue, de ne plus l'ennuyer avec ses visites et il l'a envoyée au diable. En espagnol, c'est très mauvais de dire à quelqu'un d'aller au diable, mais en anglais c'est pire ! Puis, pris de culot, il lui a dit que, pour les quelques sous que le gouvernement lui versait pour nous héberger chez lui, il n'avait pas à la supporter, et il lui a lancé beaucoup de *dam* et de *jel,* qui sont des gros mots. Pour terminer, il a dit un mot qui ressemble à *beach*[10] en anglais mais qui n'est pas *beach* ; c'est quelque chose que l'on ne doit jamais dire à une dame bien, surtout à une personne qui commande.

La dame en est restée stupéfaite. La seule chose qu'elle disait, c'était : *Disgusting ! Disgusting !* ce que les gens bien disent ici lorsque quelque chose leur paraît très mal.

Juanito a dit que tout ce qui est arrivé était de ma faute, car, lorsque la dame est venue nous chercher et m'a demandé si nous avions déjà été à la messe, je lui ai répondu :

– Non. Nous n'y allons jamais.

Après tout, c'était la vérité.

– Qu'est-ce que tu tiens dans la main ?

– Ça ?

– Oui, ça.

J'ai pensé qu'elle était idiote, mais je lui ai dit :

– Une boîte de bière.

– Ce monsieur vous donne de la bière ?

– Non, pas toujours, seulement quand il fait chaud.

Un peu plus, elle se trouvait mal.

– Voyons, appelle ton frère.

– Il n'est pas ici. Il est parti voir Tawami.

– Tawami ? Peut-on savoir qui est Tawami ?

– Sa fiancée.

– Mais c'est un nom indien ! a-t-elle dit.

– Oui, bien sûr ; c'est une Indienne *micosuki*. Mais ne vous inquiétez pas ! Il va falloir qu'il la quitte. Le frère de la jeune fille a déjà dit à mon frère que, s'il les revoyait ensemble, il le tuerait.

– Ah mon Dieu ! Très Sainte Vierge ! a dit la dame en portant les mains à sa tête.

Lorsque j'ai raconté à Juanito ce qui s'était passé, il m'a dit :

– Eh bien, maintenant, tu as tout gâché !

– Pourquoi ?

– D'abord parce que, même si nous n'y allons pas,

le dimanche il faut aller à la messe. Deuxièmement, personne ici ne peut boire de la bière avant l'âge de dix-huit ans, c'est interdit. Ensuite, tu as gaffé en racontant l'histoire de Tawami. Maintenant, c'est sûr qu'elle va vous enlever d'ici. Tu as tout gâché ! Prépare-toi à partir ! Vous ne resterez pas ici. Pourquoi ne l'as-tu pas bouclée ? Idiot !

Juanito ne m'avait jamais parlé ainsi.

Il a terminé, les yeux pleins de larmes et jetant rageusement des pierres dans le canal :

– Idiot ! Par ta faute, je vais rester tout seul !

Cette même nuit, pour qu'ils ne me trouvent pas au cas où ils viendraient me chercher, j'ai pris quelques pains et deux boîtes de bière, et je suis parti me cacher dans l'île où, avant, j'avais emmené Paco. J'étais presque décidé à rester là, comme Robinson Crusoë, mais soudain j'ai entendu des sirènes de voitures de police et des aboiements de chiens. Il paraît qu'on m'a même cherché avec des lanternes et, pour un peu, on aurait parlé de moi dans les journaux, surtout si l'on avait découvert mon cadavre. Mais je n'en suis pas arrivé là, car j'ai décidé qu'il valait mieux revenir, et je suis revenu.

Lorsque je suis arrivé à la maison, Mike parlait à la responsable, et deux policiers emmenaient Toni.

– Toni ! Où va-tu ? Où t'emmènent-ils ? ai-je crié.
J'avais peur et j'étais en colère. J'avais même envie de
tuer quelqu'un.

– Où étais-tu fourré ? m'a demandé Toni ; c'était la
première fois qu'il me paraissait vraiment être mon
père. Écoute-moi bien, Kike. Ces gens t'ont trouvé un
endroit très bien chez un médecin. Y'en a marre !
Maintenant, arrête tes niaiseries, écrase-toi et va-t-en
avec eux.

– Et toi, Toni ? Je veux aller où tu iras !

Alors, il m'a vouvoyé :

– Vous irez où je dis ! Et portez-vous bien !

– Non, Toni, non ! Pardonne-moi ! Je ne le ferai
plus ! ai-je dit ; mais il ne m'a pas bien entendu car je
pleurais en parlant.

Il s'est approché de moi et a posé sa main sur ma
tête :

– Accepte et va-t-en, Kike. J'essaierai de t'appeler
et d'aller te voir chaque fois que je le pourrai. Allons,
ils t'attendent.

– Moi, je ne vais nulle part, merde ! ai-je dit, et j'ai
donné un coup de pied dans un bidon d'essence.

En montant dans l'automobile, je leur ai dit qu'ils
s'en aillent tous au diable. Au diable ! Je n'ai pas dit
au revoir à Toni, ni à Osceola, ni à Mike, ni à

« maman », à personne, pas même à Paco. Mais quand j'ai vu Juanito qui me regardait avec sa tête d'orphelin et faisait un signe de la main, cela m'a rendu si furieux que j'ai donné un coup dans la portière, et j'ai crié :

– *Hell ! Hell ! Damnyou !*[11] en anglais, pour que les policiers me comprennent bien.

La dame m'a regardé et n'a rien dit. Pendant des kilomètres et des kilomètres, elle n'a pas ouvert la bouche, tandis que nous traversions tous les villages d'Indiens et les champs d'herbe, et que je voyais les Noirs pêcher sur les ponts. Au moment d'entrer dans Miami, elle m'a demandé :

– Aimes-tu nager, Kike ?

Je n'avais pas envie de lui répondre, mais elle a poursuivi :

– Chez le docteur Hamilton, il y a une piscine.

Je lui ai répondu « ça m'est égal », en haussant les épaules. Puis j'ai commencé à regarder dehors et à imaginer l'avenir, et non à ressasser le passé : cela aide beaucoup. Je me suis intéressé aux automobiles, ce que je faisais déjà quand je voyageais avec mon père. Cela m'amusait et je pensais à certaines choses : je voyais une Mercedes-Benz blanche et j'imaginais qu'un jour je m'en achèterais une avec le toit qui s'ouvre, quand je serais ingénieur ; je m'achèterais aussi un yacht. En arrivant à la rue « Galloway », j'étais déjà presque millionnaire.

La maison du docteur Hamilton se trouve dans un endroit où ne vivent que des gens riches. Cela s'appelle « Coral Gables ». Les maisons sont très grandes, avec de grands jardins. Dans toutes les rues, il y a de très gros arbres qui donnent beaucoup d'ombre, ainsi que des flamboyants, pleins de fleurs orangées. (Dans le reste de Miami, les maisons ressemblent à des boîtes en carton, et, comme elles viennent presque toutes d'être construites, il n'y a que quelques arbres maigres, dont on ne sait pas encore s'ils vont survivre ou crever !)

La maison du docteur Hamilton est à droite, un peu après le carrefour où commence « Coral Gables ». C'est une maison très luxueuse, couverte de lierre. Presque tous les Cubains, quand ils arrivent sans travail, sans rien, disent qu'un jour ils l'achèteront.

Ce quartier a été construit par un monsieur qui aimait beaucoup l'Espagne et les Espagnols. Toutes les rues ont un nom espagnol, ou bien un nom fantaisiste, tel que Samana ou Calabra… Les Américains ne sachant pas prononcer les noms espagnols, comme Hernando de Soto ou Ponce de Leon, c'est tout une histoire quand ils disent « *Jernandoudisou-to* » ou « *Ponsdilion* » car personne ne les comprend.

À « Coral Gables », il y a beaucoup d'oiseaux moqueurs. J'ai appris plus tard que tous ces oiseaux sont venus de Cuba, il y a des années, enfin les grands-parents de ces oiseaux ! Il paraît qu'un prési-dent de Cuba, ami du type qui a eu l'idée de construire « Coral Gables », a envoyé un million de couples d'oiseaux moqueurs ; enfin, peut-être pas un million, mais c'est tout comme... C'est le docteur Hamilton qui m'a raconté cela. Le fait est qu'ils sont cubains.

Lorsque je suis entré dans la maison, j'en suis resté bouche bée. Il y avait de ces meubles, de ces lampes et de ces potiches ! Je me suis alors rendu compte que cela faisait bien longtemps que je n'étais pas entré dans une maison propre et bien arrangée. Que c'est agréable de marcher sur des tapis ! De tous les côtés, il y avait des baies vitrées et des arbres, et, plus loin, la piscine, si longue qu'elle ressemblait à un lac.

Madame Hamilton m'a très bien accueilli. Elle était mince et sentait bon. Je ne sais pas quel âge elle pou-vait avoir. Ici, c'est difficile à savoir car, m'a dit Juani-to, toutes les femmes riches, quand elles commen-cent à avoir des cheveux blancs et la peau ridée, se font opérer : on leur tire la peau ; c'est comme si on les repassait. La cicatrice se voit derrière l'oreille, mais j'ai eu beau essayer de la voir derrière l'oreille de madame Hamilton, je n'y suis pas arrivé. Je pense qu'elle la cachait sous ses cheveux flous. C'est sûr qu'elle n'était pas très jeune, car elle avait un doigt déformé, comme ma tante Juana, qui préférait être tuée plutôt qu'avouer son âge !

Étant donné que j'avais décidé de ne plus croire en personne, j'ai pensé que c'était une vieille hypocrite, mais, ensuite, je me suis rendu compte qu'elle n'exagérait pas comme Mike. J'ai presque cru comprendre que le gouvernement n'allait même pas la payer pour m'héberger chez elle. À mon arrivée, elle a tout de suite appelé Tessie et Julie, qui sont ses deux filles, pour qu'elles me disent bonjour.

Les petites filles étaient blondes aux yeux bleus et étaient très mal habillées, parce que cela leur plaisait ainsi, et non parce qu'elles n'avaient rien de mieux à se mettre. Elles se sont approchées et m'ont dit « Hi ! » C'est la façon dont on se dit bonjour ici. Puis elles ont demandé à leur maman si, vraiment, je m'appelais Jesús et ont ri.

Alors madame Hamilton m'a dit qu'elle allait me montrer ma chambre, et nous sommes montés par un large escalier revêtu d'un tapis. Lorsqu'elle a ouvert la porte, j'ai cru entrer dans une salle de bal. Il n'y avait pas de couchettes, mais un lit avec un matelas et tout ce qu'il faut. J'ai vu aussi un téléviseur en couleurs et des étagères où se trouvaient des battes de base-ball, des ballons ainsi que des jeux pour les garçons. De la fenêtre, je voyais la piscine. J'étais très content mais je n'ai rien dit, pour ne pas lui laisser supposer que je n'avais jamais eu une chambre pour moi tout seul.

– Demain, nous sortirons pour t'acheter un costume de bain et tout ce dont tu auras besoin pour aller au collège.

Mes vêtements de Cuba étaient devenus trop petits et je ne portais pas de caleçons ; ils s'étaient déjà déchirés car ils avaient été faits dans de la vieille toile. J'avais envie que les gens, en me regardant, ne se rendent pas compte que j'étais pauvre, et je n'ai rien voulu dire car madame Hamilton aurait pensé que j'étais un crève-la-faim. D'ailleurs, presque tous les riches que j'ai connus par la suite avaient l'air indifférent, et c'est cet air-là que j'ai essayé d'avoir.

Vers six heures du soir, le docteur est arrivé. C'était un homme grand et mince, dégingandé. Il portait des lunettes. Il avait des yeux très bleus et une bonne tête. Comme il avait toujours l'air sérieux, c'était presque une surprise quand il riait : il avait vraiment l'air content. Il m'a demandé si j'étais cubain et m'a dit qu'il était irlandais, ou plutôt que ses parents ou ses grands-parents, je ne sais pas, l'étaient. Ici, personne n'est d'ici. Tout le monde vient d'Angleterre, ou d'Allemagne, ou de Pologne, ou d'Italie, jusqu'à ce qu'ils se mettent des chemises à petits carreaux, des jeans, et qu'ils parlent anglais sans accent. Alors, ils sont américains, un point c'est tout. Certains changent leur nom pour paraître américains, mais, s'ils ont un fort accent, cela ne sert à rien. Moi, jamais je ne changerai de nom. Le pire qui puisse m'arriver, c'est que l'on m'appelle Lindián au lieu de Lendián.

Le docteur Hamilton a les cheveux noirs sur le dessus de la tête, et gris devant et au-dessus des oreilles, mais il ne les teint pas. Ici, il y a beaucoup d'hommes qui ont les cheveux de la couleur des ailes de cafards. C'est lorsqu'ils les teignent pour paraître plus jeunes. On remarque tout de suite que le docteur Hamilton est médecin, car il est toujours habillé en blanc et il est très propre, comme si l'on venait de le désinfecter. Il a des mains très grandes et les déplace très lentement. C'est sans doute parce qu'il est ophtalmologiste. Comme les yeux sont tout petits, il faut faire très attention en les opérant. Il a l'habitude de regarder dans les yeux avec beaucoup d'attention : c'est peut-être pour voir si l'on est myope, ou quelque chose comme cela ; peut-être que non, comme tante Amelia qui, rien qu'en regardant une personne en face, peut deviner si elle dit la vérité ou si elle ment.

Aussitôt arrivé, le docteur m'a tendu la main et, avant même que je parle, il semblait déjà m'écouter. Il y a des personnes à qui nous parlons et qui nous regardent, mais nous nous rendons compte qu'elles ne nous écoutent pas, ou, si elles nous écoutent, ce que nous disons ne les intéresse pas du tout. Le docteur, au contraire, écoutait et regardait, et, quand j'étais avec lui, il me semblait que rien au monde ne l'intéressait autant, ou n'était plus important, que moi. Il m'a posé beaucoup de questions sur ma famille et m'a demandé comment était La Havane. Cela faisait longtemps que je n'avais pas parlé de mes parents, et, au début, cela m'a fait plaisir ; je lui ai raconté que mon père m'avait appris à jouer au ballon. J'étais aussi sur le point de lui parler de mon frère Toni, mais, je ne sais pas, je n'ai pas pu. Le docteur m'a dit que, si je voulais, je pouvais l'appeler John, mais il m'a fallu beaucoup de temps pour cesser de l'appeler docteur Hamilton. Il m'a dit aussi que l'espagnol lui

plaisait beaucoup et qu'il était en train de l'apprendre, car beaucoup de personnes âgées qu'il soi-
gnait étaient cubaines.

– Si tu veux, tu peux m'aider et nous parlerons
espagnol.

C'était la première fois que quelqu'un me disait
qu'il aimait l'espagnol. Jusqu'à maintenant, tout le
monde m'avait dit qu'il ne le parlait pas. D'ailleurs,
comme j'ai les yeux verts et les cheveux blonds, personne ne se doutait que j'étais latin, et cela valait
mieux pour moi.

À huit heures, nous avons mangé sur une nappe
dans la grande salle à manger et nous avions chacun
notre serviette. Madame Hamilton a servi d'énormes
beefsteaks. J'ai eu du mal à bien tenir mon couteau,
car, depuis que je suis arrivé de Cuba, je n'ai mangé
que des hot-dogs et des hamburgers, ou le poulet frit
que me donnaient les Noirs. J'ai pu manger aussi
toutes les pommes de terre frites que j'ai voulues et
une glace succulente avec un sirop de chocolat qui,
d'abord, était tout mou, puis épaississait, au fur et à
mesure que je mangeais.

Tessie et Julie me regardaient et se moquaient. Je
ne sais pas pourquoi. La seule chose que j'ai faite de
mal, c'est d'avoir laissé tomber un peu de glace sur

ma chemise et, comme elle était si bonne, je l'ai ramassée avec ma cuillère et l'ai mangée.

Après le repas, le docteur a lu. Madame Hamilton, ses petites filles – qui ne sont pas si petites – et moi avons regardé la télévision. Ce n'était pas ma famille, mais c'était pareil.

À dix heures, on nous a dit d'aller nous coucher, car, le lendemain, nous allions au collège. Ce qui ne me plaît pas ici, c'est que, pour se dire au revoir, même si ce n'est que jusqu'au lendemain, le papa, la maman et les filles s'embrassent sur la bouche. Moi, j'ai tendu ma joue, car ma grand-mère m'a dit que s'embrasser sur la bouche donne la tuberculose et transmet les microbes. Moi, au cas où ce serait vrai, je n'embrasse personne sur la bouche. Depuis que je suis arrivé de Cuba, personne, non plus, ne m'a embrassé. Le docteur n'a pas voulu me forcer à faire quelque chose que je ne souhaitais pas faire et il m'a tendu la main.

Madame Hamilton est montée avec moi, a sorti un pyjama qui portait encore les étiquettes de la boutique, m'a conduit à la salle de bains, m'a donné des serviettes propres et a ouvert la douche. Je suppose qu'elle voulait que je me baigne à cette heure, car elle me montrait l'eau. Mais, si l'on se baigne après avoir mangé, c'est très mauvais car on peut mourir d'hydrocution. Tout au moins, c'était ce que disait ma grand-mère. Maman, lorsque nous allions à la plage, ne nous permettait pas de nous baigner pendant trois heures après le repas.

– *Come on* – c'est-à-dire « viens ! » –, me disait la dame en anglais, en me montrant à nouveau la douche.

Moi, je ne savais pas comment lui expliquer que c'était mauvais et que je pourrais perdre connaissance. J'ai eu l'idée de faire une grimace et de lui dire :

– Non, non ! Danger, danger !

Elle ne m'a pas compris. Elle pensait sûrement que j'étais un petit cochon et que je ne voulais pas me baigner. Elle a fini par me gronder, en faisant un signe du doigt, et a recommencé à me montrer la douche, puis elle est sortie et a fermé la porte.

Je me suis bien lavé les mains et la figure, puis me suis passé la serviette sur le reste du corps. Ce serait dommage de mourir dans une si jolie maison avec piscine, une maison où l'on mange de si gros beef-steaks ! J'ai ouvert tout grand la douche pour que madame Hamilton l'entende. Puis je suis sorti avec les cheveux mouillés et le pyjama propre, et je me suis fourré dans le lit. J'étais sur le point de m'endormir lorsque le docteur est entré, m'a regardé comme s'il était heureux ou s'il avait très envie d'avoir un fils à lui. Il a posé sa main sur mon front, a éteint la lumière et m'a dit :

– Bonne nuit, mon fils, en espagnol.

J'ai eu comme un nœud dans la gorge. J'aurais voulu lui répondre : « Bonne nuit, papa », mais je n'ai pas pu.

Le lendemain, j'ai pris le petit déjeuner, composé d'œufs, de lard, de pain et de café au lait. Ils m'ont donné aussi quelque chose qui avait un goût de paille ; je ne l'ai pas mangé. Ensuite, le docteur Hamilton m'a conduit à un très grand collège et m'a présenté à la directrice, qui avait l'air d'un bâton coiffé d'une perruque. Elle a serré la main du docteur, mais moi elle m'a regardé comme si j'étais un pou. Puis elle a passé son bras derrière moi, mais uniquement parce que le docteur était là.

Au collège, il y avait pas mal de Cubains qui avaient père et mère, et, tout de suite, ils ont été mes amis. Quelques Américains m'ont dit « bonjour » ; d'autres m'ont fait « *spic* », ce qu'ils font ici à ceux qui parlent espagnol, et ils ont commencé à se moquer de moi.

La première maîtresse que j'ai eue était une vieille Anglaise qui portait une robe à petites fleurs et des chaussures à lacets. Elle s'appelait madame Chippy. La pauvre avait enseigné pendant tant d'années qu'elle expliquait tout deux fois, très lentement, même si c'était une niaiserie. Quand elle m'a demandé mon nom et que j'ai répondu « Jesús Lendián », elle ne m'a rien dit, mais toute la journée elle m'a appelé « Jimmy ». Je lui ai répété que je m'appelais Jesús ; elle m'a répondu :

– Oui, oui, mais ici, en classe, nous t'appellerons Jimmy.

Alors j'ai décidé de ne pas lui répondre quand elle m'appellerait Jimmy, car je n'avais pas envie de changer de nom.

– Écoute, mon gars, ne le prends pas ainsi, m'a dit un camarade de classe qui était basque. Moi, c'est pire que toi. Je m'appelle Iruretagoyena, et, comme la maîtresse s'emmêle dans mon nom, quand elle fait l'appel, elle dit « Iru » et je réponds « présent ».

Il ne m'a pas convaincu. Je m'appelle Jesús par mon père, Andrés par l'un de mes oncles qui était aviateur, et « de la Caridad » par la Sainte-Vierge, et personne ne va changer mon nom.

De retour à la maison, j'ai attendu le docteur et lui ai expliqué en espagnol :

– La maîtresse dit qu'au collège on doit m'appeler Jimmy. Moi je m'appelle Jesús et...

Le docteur a ri et m'a dit que cette dame était peut-être xénophobe. Comme je n'avais jamais entendu ce mot, je ne savais pas ce qu'il voulait dire, mais, après, il m'a expliqué que les gens ici, s'ils sont catholiques, sont très catholiques, et s'ils sont juifs, sont très juifs. Il m'a demandé si je connaissais les commandements. Je lui ai dit oui et lui en ai récité quelques-uns ; les autres, je ne m'en souvenais plus.

– Ne te souviens-tu pas de celui qui dit : « Tu ne prononceras pas en vain le nom de Dieu » ?

En vérité, je ne me souvenais pas de celui-là, et je ne voyais pas ce que toutes ces explications, ainsi que les commandements, avaient à voir avec le fait que la maîtresse m'appelle Jimmy.

– Écoute, à Cuba, vous employez le nom de Jesús pour rappeler Jésus-Christ, mais ici dire « Jesús ! » c'est se servir en vain du nom de Dieu, et cela ne se fait pas. Si l'on dit « Jésus-Christ », c'est encore pire ! Les gens disent « Jésus-Christ » quand ils sont très en colère, ou si quelque chose leur tombe sur le pied, ou s'ils s'écrasent le doigt. C'est presque un blasphème. Écoute, c'est comme si, à Cuba, on te traitait de *conco* !

J'ai eu envie de rire, car le docteur a prononcé ce mot d'une drôle de façon, mais je n'ai pas ri car il aurait cru que je me moquais de son espagnol.

– Je crois que nous pouvons très bien arranger cette affaire, en demandant à la maîtresse qu'elle t'appelle Jesús, comme on le prononce en espagnol, et non « Llisus », comme cela se prononce en anglais. Ainsi, cela ne choque pas. D'accord ?

J'ai approuvé et le problème a été solutionné, mais, quelques jours après, il y a eu une autre histoire. On m'a donné des papiers pour que je les remplisse avec mon nom, mon numéro de téléphone, mon adresse, etc. Après, on demandait la « race » et, à côté, il y avait un espace en blanc. Naturellement, j'ai écrit « blanche ». La maîtresse a corrigé, en rayant « blanche » et en écrivant au-dessus « cubaine ».

Je me suis mis en colère.

– Écoutez, madame, « cubaine », ce n'est pas une race. Cubain veut dire que je suis de Cuba, mais ma race est blanche.

– Cela n'a pas d'importance, mon enfant. Ici, pour tous les Cubains, nous écrivons « race cubaine ».

Je suis allé voir la *counsellor* : c'est la personne que l'on va voir quand on a des problèmes. Je lui ai expliqué ce qui m'était arrivé. Elle a ri, peut-être parce qu'elle aussi est cubaine, et m'a dit :

– Oui, Jesús, tu as tout à fait raison. Ce qui se passe, c'est que, parfois, sont arrivés des Cubains qui étaient noirs ou mulâtres, ou des gens qui parlaient espagnol et avaient des traits de Noirs ou d'Indiens, et ils n'aimaient pas qu'on le leur dise. Pour éviter des problèmes, on a décidé d'écrire « race cubaine ».

Le résultat, c'est que le Chinois Chang est de race cubaine, ainsi que le petit Noir Orestes… Quand j'ai raconté cela au docteur, il a d'abord ri puis il m'a dit :

– Ici, nous avons fait beaucoup de progrès, Jesús, mais nous avons encore beaucoup de préjugés stupides. Peut-être, étant donné que nous sommes en démocratie, un jour tu pourras nous aider pour que nous les perdions…

Moi, je n'ai pas attendu d'être grand. Quand ils ont fait venir dans notre collège des Noirs provenant d'autres collèges, et que quelques enfants et beaucoup de parents blancs ont protesté, je me suis consacré à défendre les Noirs. Je me suis converti en garde du corps d'une petite fille qui s'appelait Lucy. La pauvre était une petite Noire, de celles qui portent des petites tresses. Elle avait très peur que les plus grands, qui se postaient à la porte du collège pour insulter les Noirs, lui fassent du mal. Je me suis senti bien dans ma peau, du seul fait de la défendre.

En revanche, je me suis senti très mal lorsque, un jour à la maison, le docteur Hamilton et sa femme étant allés à un banquet, nous sommes restés seuls, Julie, Tessie et moi, à regarder la télévision et à manger quelques petites friandises. J'avais mis mon pyjama neuf et je me sentais bien. Un peu avant minuit, j'ai dit que j'allais me coucher. Tessie m'a demandé de lui donner un baiser. Je lui ai présenté ma joue pour que ce soit elle qui me le donne.

– Ne sois pas stupide ! Sur la bouche.

– Non. Sur la bouche, non !

– Pourquoi ?

– Parce que cela donne la tuberculose.

Les deux sœurs ont ri et m'ont traité de *silly*, c'est-à-dire de sot.

– Tout le monde s'embrasse sur la bouche !

– Tout le monde, non. À Cuba, non.

– Mais nous sommes en Amérique.

– En Amérique du Nord.

– C'est pareil.

– Non, ce n'est pas pareil, car il y a l'Amérique du Nord et l'Amérique du Sud.

– Quand on parle de l'Amérique, tout le monde sait qu'il est question des États-Unis, idiot !

– Vous êtes idiotes : vous ne connaissez que ce qui se fait ici et vous croyez que vos habitudes ont seules de la valeur.

– Bon, mais tu es ici, et tu dois vivre en t'habituant à faire ce que l'on fait ici et à dire ce que l'on dit ici. Je vais donc tout de suite t'apprendre à embrasser sur la bouche.

Elle m'a saisi la tête entre ses deux mains et m'a donné un très gros baiser sur la bouche, puis un autre, et encore un autre. J'en suis resté stupéfait. J'ai ressenti une chose étrange et j'ai eu peur. Cela ne m'a pas déplu mais j'ai eu les jambes en coton. J'ai senti des fourmis dans l'estomac et j'en suis resté le souffle coupé. En réalité, je l'ai laissée faire, puis je l'ai fait moi-même, jusqu'à ce que Julie s'écrie :

– Quand papa reviendra, je le lui dirai !

– La prochaine fois, nous le ferons dans ta chambre ! m'a dit Tessie.

Je suis parti en courant ; j'ai monté l'escalier et je me suis fourré dans mon lit, mais je ne pouvais pas dormir. J'avais fait quelque chose de très mal, mais, en même temps, j'y repensais et je recommençais à sentir des fourmis. La tête me tournait. Je pensais au père Joselin, au diable et à ma grand-mère, tout cela en même temps.

———

Soudain, je me suis assis dans mon lit :

– Ah mon Dieu !

Je me souvenais de ce que m'avait dit Juanito, après avoir vu Toni donnant un baiser à Tawani : le sexe et tout cela... J'étais très inquiet en imaginant que Tessie pourrait entrer dans ma chambre et que l'autre chose pourrait se passer. Bien sûr, je ne pouvais pas m'endormir, et quand, enfin, j'y suis arrivé, j'ai fait un cauchemar : le docteur Hamilton me mettait dehors. Tessie ne faisait que se moquer de moi et des policiers venaient me chercher avec leur car de patrouille, tandis que je m'enfuyais en courant.

Le lendemain, au petit déjeuner, je n'ai pu regarder ni le docteur, ni Julie, ni Tessie. Madame Hamilton m'a demandé si j'étais malade.

Heureusement, Tessie s'est fiancée avec un footballeur et ne m'a plus jamais donné de leçon. En revanche, j'ai pensé que je pouvais profiter de mon expérience pour donner un baiser à Loli, une petite Cubaine de ma classe qui me plaisait beaucoup. Un jour, après les cours, je l'ai attendue dans un couloir. Au moment où j'ai voulu lui donner un baiser, elle m'a fait un *diachibarai* (c'est une prise de judo), et je me suis retrouvé par terre.

Peu de temps après, j'ai eu la chance, au championnat de base-ball, de pouvoir frapper la balle à pleine batte et de faire gagner l'équipe du collège. Dès lors, j'ai été très populaire. Ici, si l'on est bon en sports, peu importe que l'on soit noir, porto-ricain ou cubain. On a même publié ma photo dans le journal du collège et tout le monde me disait « Hi ! » Un peu plus, on m'élisait délégué de classe. C'est peut-être à cause de cela que j'ai commencé à penser qu'il serait préférable que je ressemble aux Américains. J'ai essayé de perdre mon accent et il m'est même arrivé de ne pas répondre quand on me parlait en espagnol.

Beaucoup d'Américains étaient déjà devenus mes amis : quand on a une piscine, c'est plus facile de se faire des amis. Ce n'était peut-être pas à cause de la piscine, mais plutôt de la Mercedes-Benz du docteur Hamilton. Les gens ne traitent pas de la même façon un Cubain qui roule en Mercedes-Benz qu'un Cubain qui roule en Cadillac tout éventrée, comme celles que les Noirs utilisent ici. Parfois, je pense que cela m'aurait même plu de m'appeler Peter ou John, au lieu de Jesús.

J'avais honte aussi de certains Cubains. Madame Hamilton avait une servante qui s'appelait Cachita, une Cubaine maigre, édentée, qui criait famine. Quand ils lui ont dit que j'étais cubain, elle a été toute contente. Mais moi, je n'ai pas voulu lui accorder ma confiance, non parce qu'elle était cubaine, mais parce qu'elle était bête. Lorsque, à Cuba, il y a eu toute l'histoire des missiles russes et de l'attaque éventuelle des États-Unis, elle est venue me dire :

– Kike, sais-tu comment ils avaient caché ces missiles à Cuba ?

– Comment ?

– Sous des manteaux.

– Comment cela, sous des manteaux ? T'es sotte, Cachita ?

– Je viens de l'entendre à la radio : ils ont dit que Castro avait démantelé les missiles.

Je comprends très bien que les Américains passent parfois de mauvais moments avec nous. L'autre jour, par exemple, le docteur Hamilton et moi sommes allés à la Huitième Rue, où il y a beaucoup de Cubains. Là, on peut tout se procurer comme à Cuba. Il y a des cafétérias, des confiseries, des magasins de chaussures et même des pompes funèbres espagnols. Il y a aussi des boutiques qui s'appellent « herboristeries », où l'on vend des saints géants, des petits pantins et des amulettes, et même des boîtes de conserve pleines de je ne sais quoi, avec une étiquette où l'on explique que, si l'on verse ce liquide dans la maison tout en récitant la prière qui est écrite sur la boîte, on éloigne les mauvais esprits. Je me souviens d'Osceola et de ses petits hommes qui naissaient dans la terre. Le docteur Hamilton est très intéressé par tout cela. Moi, ça me fait plutôt de la peine et presque honte.

Nous sommes entrés dans une cafétéria, car tous les deux nous aimons beaucoup les petits gâteaux de goyave, et le docteur le café cubain. Nous nous sommes assis au comptoir, à côté d'un policier américain. Ce policier a demandé un Coca-Cola, mais, quand on le lui a apporté, une mouche est tombée dans le verre. Évidemment, il ne voulait pas le boire avec une mouche vivante dedans. Il a appelé une grosse Cubaine, aux cheveux teints et aux ongles très longs, qui s'est approchée en faisant onduler tout son corps. Le policier, très poli, lui a expliqué en anglais qu'une mouche était tombée dans son verre. La Cubaine l'a regardé et n'a rien compris. L'Américain a donc essayé d'imiter une mouche en agitant ses mains, comme s'il volait.

– Dis-donc, la fille, va voir là-bas ce que veut cet Américain, a dit la serveuse. Il me fait des signes très étranges, et moi je ne supporte pas que l'on me manque de respect.

111

La deuxième serveuse est alors venue voir, et le pauvre Américain a recommencé à faire la mouche.

– Ah ! s'il n'est pas gazeux ce n'est pas notre faute : cela vient de la machine qui ne marche pas.

Le malheureux Américain a regardé autour de lui et a demandé, désespéré :

– Y a-t-il quelqu'un qui parle anglais ?

Pour que, à la maison, ils ne croient pas que tous les Cubains sont bêtes, je me suis mis à étudier et j'ai été classé « A » dans toutes les matières. Les Hamilton étaient très contents de moi, à tel point que, le jour de mon anniversaire, ils m'ont offert un bateau pour faire des régates dans leur club. Maintenant, je les appelais *Mom* et *Dad* et je m'étais pris d'une grande affection pour eux.

Le docteur Hamilton aimait beaucoup les bateaux, surtout les voiliers, car il disait qu'il préférait entendre le bruit du vent plutôt que celui de la télévision ou les niaiseries que disent les gens. Le dimanche, nous sortions tous les deux et allions pêcher, mais, si les poissons étaient tout petits, il les rejetait toujours à l'eau. Cela lui faisait de la peine de les voir, percés par l'hameçon, perdre leur sang. À moi aussi, mais je n'avais jamais rencontré un homme qui le dise.

Avec Dad, j'ai appris à faire de la chasse sous-marine : on met des palmes à ses pieds et un masque devant ses yeux, et l'on nage sous l'eau.

Dans la mer, c'est très silencieux. Les plantes bougent au ralenti, et la lumière du soleil fait des dessins sur le sable au fond de la mer. On voit des poissons avec des raies bleues, d'autres avec des raies noires ; d'autres encore paraissent argentés. Certains s'approchent du nageur et le regardent, comme s'ils disaient : « Toi, qui es-tu ? » Il y a aussi des hippocampes et des langoustes qui se déplacent avec leur queue et s'enfuient, ainsi que des poulpes qui agitent leurs bras comme s'ils dansaient. Les coraux blancs ressemblent à des éventails. On voit aussi de petites prairies où l'herbe ondoie comme si le vent soufflait sur un champ. On n'entend rien. Dans la mer, il semble ne pas y avoir de problèmes.

Dad était devenu comme mon vrai papa. Je pensais que je resterais toujours chez les Hamilton. Pour beaucoup de choses, je me rendais compte que je n'étais pas aussi cubain qu'avant. Même les bananes frites ne me surprenaient plus. J'aimais encore les haricots noirs, mais pas tant qu'avant. Mom avait demandé la recette à une amie et, le jour où j'ai eu douze ans, en plus du bateau, elle a fait des haricots noirs. Ils étaient blanchâtres et durs comme des munitions. Je ne lui ai pas dit qu'ils étaient ratés, car cela lui aurait fait de la peine ; alors, maintenant, elle en fait chaque vendredi.

Il y a si longtemps que j'ai quitté maman et papa que je ne me souviens presque plus de leur visage. De plus, ils ne m'écrivent jamais. Dad dit que ce n'est pas de leur faute, mais de la poste de Cuba. Il m'oblige à leur écrire une lettre par mois, mais je ne sais pas quoi leur dire. De toute façon, ils ne peuvent pas comprendre ce que je leur écris car les choses ici sont tellement différentes. Je n'ai jamais revu mon frère Toni, bien qu'il m'appelle de temps en temps ; mais il ne me manque pas, en tout cas pas autant qu'au début. Peu à peu, je me suis habitué à l'idée que je ne reverrai pas ma famille. La seule chose qui, en réalité, a de l'importance pour moi, c'est que personne ne m'enlève ce que j'ai maintenant.

Un jour, à l'occasion d'Halloween, je m'étais déguisé en squelette. Ce jour-là, tout le monde se déguise et sort la nuit pour demander des bonbons, ou faire de mauvaises farces à ceux qui n'en donnent pas. Dad m'a demandé de venir dans sa bibliothèque car il désirait me parler d'une chose très importante.

J'ai pensé que c'était l'affaire de quelques minutes et je n'ai même pas enlevé mon masque de mort. Mais Dad s'est assis dans son fauteuil, a pris sa pipe, l'a allumée très calmement, a éteint l'allumette, a regardé la fumée sortir de sa pipe et m'a dit enfin :

– Jesús, nous t'aimons comme un fils, et cette maison sera toujours la tienne.

« Ça y est ! ai-je pensé. C'était trop beau ! Ils vont sûrement m'envoyer à Matecumbe ou dans un endroit encore pire ! »

Comme je ne voulais pas qu'il me l'annonce lui-même, cela me ferait encore plus de peine, c'est moi qui ai dit :

– Où vont-ils m'envoyer maintenant ?

Il m'a regardé, surpris.

– Non, Jesús, ce n'est pas cela. On m'a appelé pour me faire savoir que tes parents viennent d'arriver de Cuba et veulent te voir tout de suite.

J'ai répondu, et l'ai regretté aussitôt :

– Ils auraient dû rester là-bas.

Lorsque Dad m'a dit : Que dis-tu, mon fils ? je l'ai embrassé en pleurant.

– Je ne veux pas m'en aller d'ici ! Je t'aime beaucoup, Dad !

Lui aussi m'a embrassé, mais, comme les Américains n'aiment pas exhiber leurs sentiments, il m'a tout de suite repoussé et m'a dit :

– Ce sont tes parents, Jesús, et, s'ils veulent que tu ailles avec eux, tu dois y aller.

Alors, furieux, j'ai crié :

– Je n'ai pas à m'en aller avec eux ! Pourquoi m'ont-ils envoyé ici, seul, et m'ont-ils dit des mensonges ? S'ils sont restés à Cuba, c'est parce que leur propriété et leur maison avaient plus d'importance pour eux que mon frère et moi ! D'ailleurs, je ne me souviens presque plus d'eux !

J'ai pensé aussi, mais je ne le lui ai pas dit, que tous les Cubains, quand ils arrivent, sont pauvres et n'ont pas de travail, et moi, je ne voudrais jamais recommencer à mourir de faim de toute ma vie. Alors j'ai dit une chose terrible :

– Je ne veux pas revoir mes parents !

Très calmement, Dad m'a ordonné d'enlever mon masque et de me laver la figure :

– Tes parents vont bientôt arriver.

J'allais sortir lorsqu'il a dit :

– Il me semble que tu es injuste. Ils ont fait ce qui leur paraissait le mieux pour toi. Je veux que tu les attendes et que tu sois aimable avec eux.

Je me suis habillé et me suis assis près de la porte d'entrée de la maison en les attendant. J'étais décidé à ne pas m'en aller avec eux et, s'ils m'y obligeaient, à m'échapper. Ils ne pourraient jamais me retrouver.

Une Plymouth toute disloquée a freiné devant l'entrée. Les portières se sont ouvertes.

J'ai vu une dame courir vers moi en criant :

– Kike ! Mon petit enfant !

Un homme moins âgé que mon père marchait derrière elle. J'ai alors entendu une voix qui me disait :

– Mon petit nain ! Mon petit nain !

C'était Toni. En le voyant, c'était comme si, soudain, le temps s'était arrêté. Mon cœur s'est mis à battre très vite :

– Toni ! Toni !

Tous les quatre, nous nous sommes embrassés en pleurant.

Mais cela n'a pas été si facile. Nous avons eu beaucoup de problèmes. Je ne me souvenais presque plus de mes parents. J'avais vécu seul et avais pris des habitudes différentes des leurs. Mon père a voulu tout de suite me donner des ordres et que j'obéisse sans dire un mot. Par fierté, il n'a accepté l'argent que lui offrait Dad que sous forme de prêt, et pas plus de mille pesos. Bien sûr, avec si peu d'argent, nous n'avons pu avoir qu'une vieille maison délabrée, là-bas vers Hialeah. Le jour où nous avons emménagé, mes parents étaient très contents, mais moi j'ai dû rassembler mes affaires et dire adieu à Mom et Dad. Bien que nous devions nous revoir, ce ne serait jamais plus la même chose.

Pour comble de malheur, au lieu d'un grand lit, je n'avais plus qu'un sommier métallique défoncé et un matelas étroit et peu épais, et, au lieu de meubles, des cartons pour ranger mon linge. Papa a réussi à se procurer une Chevrolet de 1955, mais, quand ce n'était pas le silencieux qui se détériorait, c'étaient les tuyaux, ou bien il fallait changer le carburateur. Le réfrigérateur, que des amis de mes parents nous avaient offert, était ennuyeux : nous devions le dégivrer chaque semaine, sinon, en l'ouvrant, on se serait cru au pôle Nord. Mes parents ont acheté un sofa et des chaises pour la salle de séjour au marché aux puces. La vaisselle était composée d'assiettes et de plats tout dépareillés ; les couverts, c'était la même chose : certains étaient noircis, d'autres jaunis, et la plupart bosselés. Papa a récupéré un téléviseur dans un tas de ferraille, du genre de ceux que les gens riches déposent devant leur maison pour que les éboueurs les emportent. Il lui a fallu environ une semaine pour le poncer et le peindre, puis il l'a réparé, et Maman a posé dessus un éléphant, deux cendriers et un napperon tissé. Mais, à quoi bon... il lui manquait un pied et, de toute façon, c'était une saleté !

C'est plus dur de redevenir pauvre que de devenir riche. Tout cela me ramenait en arrière.

Un jour, une amie de ma mère, qui s'appelait Conchita, est arrivée avec un paquet de vieux vêtements rassemblés dans un drap. Maman a été très contente :

– Regarde, Papi, cette blouse ! Elle est toute belle ! Regarde, des bas ! Des draps, nous en manquons tellement ! Trois serviettes de toilette ! Regarde, regarde, un costume, un complet, je crois que tu en as besoin !

Tout était froissé, et même déteint. Comme à Cuba, en dehors de ce qu'on obtenait avec le carnet de rationnement, il n'y avait rien du tout, maman trouvait tout cela merveilleux. Pour moi, c'était misérable, car Dieu sait qui avait utilisé toutes ces affaires auparavant. Cela me faisait de la peine, me mettait en colère. J'avais honte que l'on nous offre des choses qui avaient déjà servi.

Je ne disais rien, car maman mettait un petit rideau par-ci, quelques fleurs par-là. Tout était propre et brillant. Elle était toujours contente et faisait des projets en pensant à ce qu'elle allait acheter avec les carnets de timbres verts qu'ils donnaient au marché. Elle a fait de tout, avant de pouvoir trouver un travail fixe dans une usine : des gâteaux de goyave qu'elle vendait, des chemises ; elle s'est occupée d'enfants – n'importe quoi. Maintenant que je l'avais retrouvée, j'étais content. Elle riait tout le temps et ne se plaignait pas, à la différence d'autres gens, d'avoir dû laisser beaucoup de choses à Cuba. Au contraire, elle regardait toujours autour d'elle et disait :

– Ah ! J'ai l'impression de rêver ! Un vrai rêve ! Nous sommes tous réunis ! Je crois que, le restant de mes jours, je ne me plaindrai jamais.

La pauvre avait la manie de garder tous les flacons vides. Quand le café ou une compote était terminé, elle me disait :

– Non, mon enfant, ne jette pas le bocal ! Sais-tu ce que donnerait ta grand-mère à Cuba pour avoir l'un de ces flacons ?

Il y en avait donc dans tous les coins. Elle avait aussi la manie de garder des aliments. Quand il y avait trop de quelque chose, elle le resservait, déguisé, le jour suivant. Si je protestais, elle me disait :

– Tu ne sais pas qu'on crève de faim à Cuba ?

Avec papa, cela n'allait pas si bien. Papa est beaucoup plus sérieux que maman. Il est avocat et, ici, les avocats n'ont pas de travail, surtout s'ils ne parlent pas anglais. Il a pu trouver un emploi de serveur dans un restaurant, mais, comme il n'avait pas d'expérience, il ne s'en sortait pas. Il était aigri, toujours de mauvaise humeur. Il voulait que tout se passe à la maison comme à Cuba. Étant donné que Toni travaillait le jour et étudiait la nuit, papa s'en prenait à moi :

– Kike, mets tes chaussures ! Kike, coupe-toi les cheveux !

Un jour, j'en ai eu assez et je lui ai répondu méchamment :

– Chez Dad, je marchais toujours pieds nus et je ne me coupais les cheveux que lorsque j'en avais envie.

– Tu l'as déjà dit : chez Dad. Mais ici, chez Jesús Lendián, tu mets tes chaussures et tu te coupes les cheveux quand je le dis.

Il y a eu aussi autre chose : chaque fois que je commençais à parler et qu'il me venait un mot anglais, il m'interrompait :

– En espagnol, Kike.

Il m'ennuyait et je lui disais :

– Laisse tomber, cela ne fait rien.

Parfois, je faisais cela pour l'embêter, mais, d'autres fois, parce qu'il m'était plus facile de m'exprimer en anglais.

Alors, il insistait :

– Redis-le en espagnol.

– Mais je te dis que ça n'a pas d'importance !

– Si, cela en a. Ici, on parle espagnol.

Il a donc décidé de me donner des leçons d'espagnol et d'histoire de Cuba, le matin, avant de partir travailler comme mécanicien (il avait obtenu cet emploi pour ses matinées). Moi, je mourais de sommeil. Mais lui, il ne cessait de me parler de Marti, de Maceo et des guerres d'indépendance. Il me donnait même du travail : « Lis ceci. Copie cela. »

Il s'est mis dans la tête que le football américain était un jeu brutal, et, quand j'ai été sélectionné pour l'équipe du collège, il m'a dit :

– Tu n'y penses pas, Kike ! Si encore c'était du football !

– Mais, ici, tout le monde joue au football américain.

– Oui, et c'est pour cela qu'il y a tant d'accidents. Regarde les joueurs : dis-moi s'ils n'ont pas l'air de brutes, Kike ! Ce n'est pas pour rien qu'ils t'ont donné ce papier pour que je le signe, et il faut payer une assurance !

– Papa, ici, on te fait signer un papier et payer une assurance pour tout. C'est ainsi.

– Eh bien il en sera ainsi : toi, tu joueras au ballon, tu nageras, tu rameras. Quant au football américain, il n'en est pas question.

– Mais, papa !

– Ne discute plus, Kike ! Tu ne joueras pas au football américain. Un point c'est tout.

Je me suis mis en colère et lui ai dit :

– Le cigare donne le cancer. C'est pire que le football américain et cela ne t'empêche pas de passer ton temps à fumer !

Il m'a regardé et je sais qu'il a compris qu'il ne me dominerait pas facilement.

Lorsque mes parents recevaient des amis, j'essayais de disparaître. S'ils étaient cubains, ils s'embrassaient et m'embrassaient, puis ils se mettaient à parler très fort, tous en même temps, presque toujours de politique. Je ne sais pas pourquoi, mais l'une des choses sur laquelle ils discutaient le plus c'était de savoir si Fidel Castro avait toujours été communiste ou non. Quelqu'un s'écriait :

– Depuis l'université. J'en suis certain. J'étais dans sa classe.

Un autre contestait :

– Ce n'est pas vrai ! Il est venu ici pour demander de l'aide et elle lui a été refusée.

– Merde ! Il était plus communiste que Staline lui-même !

Ils discutaient ainsi pendant des heures, mais s'ils disaient : « Te souviens-tu ? » c'était pire !

– Te souviens-tu du vieux Chano ? Et de ce garçon… Comment s'appelait-il ? On le surnommait le « gros bébé ». Et de Lolita, cette petite fille qui s'appelait « Laque Gamos » ? Chaque fois que l'on faisait l'appel, nous étions morts de rire.

Je croyais que leurs histoires allaient être drôles, mais pas du tout ! Le vieux Chano était mort, le « gros bébé » en avait pris pour vingt ans, et Lolita s'était engagée dans la milice et était maintenant en prison. Tout se terminait en tragédie.

Un soir, des voisins de Cuba sont venus à la maison et Papa m'a obligé à rester. Ce jour-là, les « Dolphins » – l'équipe de Miami – jouaient, et je ne voulais pas les rater. Dès que j'ai allumé la télévision, papa m'a dit :

– Baisse le son, mon enfant !

Et il a ajouté pour ses amis :

– Ces jeunes n'entendent pas bien. Ils mettent le son de la télévision au maximum, et, quand il s'agit de leur espèce de musique, c'est à devenir fou ! Ils ne respectent pas la conversation des gens et, quand on s'adresse à eux, ils ne répondent pas.

J'ai donc baissé le son, mais, comme ils parlaient très fort, je n'entendais plus rien. Je ne sais pas si ces amis-là étaient très amusants ou très tristes, car ils parlaient d'un type qui vendait des *tamales*[12] dans les Douzième et Vingt-troisième Rues, et disait : « Ils piquent, goûtez-les », et d'un confiseur qui disait : « Mangez-en donc, vous avez le temps. » Ils se souvenaient aussi des petits gâteaux aux jaunes d'œufs que faisait Roberto, et du savoureux « Elena Ruz » d'El Carmelo. Pour terminer, ils se sont mis à citer les tramways de La Havane. L'un a dit :

– Plage, gare centrale…

Un autre a répondu, comme si c'était une devinette :

– Celui-là passait par la Vingt-troisième Rue, puis par Almendrales et descendait par telle rue jusqu'au terminus.

Un autre a ajouté :

– Et le V7 ?

Pour moi, c'était comme s'ils parlaient chinois, mais, eux, ils étaient morts de rire. Bien entendu, personne ne se souvenait de ce qui avait été dit. Ils oubliaient tout.

– Comment s'appelait ce type qui était représentant ?

– Chibas ?

– Non, mon vieux, non ! L'autre, celui qui a tiré deux fois sur l'automobile parce qu'elle ne démarrait pas. Ce qui est sûr, c'est qu'après il a été tué.

À ce moment-là, les « Dolphins » venaient de marquer un but et, bien sûr, j'ai crié :

– *OK man ! OK man !* Passe-lui, passe-lui !

Papa m'a dit :

– Tais-toi, mon enfant ! Tu es devenu fou ?

– Ah, *shit* !

Alors l'un des voisins a dit à mon père :

– Je ne peux pas supporter ce mot-là ! Mes fils aussi le disent toutes les deux minutes !

– Qu'est-ce que cela veut dire ?

Il a réfléchi, a regardé par terre, puis a répondu, navré :

– Merde, mon vieux ! Merde !

Papa s'est levé et a coupé la télévision, alors qu'ils avaient égalisé à quatorze et qu'ils n'avaient plus qu'une minute à jouer.

Je suis allé dans ma chambre et j'ai fermé la porte en me disant : « Je m'en vais ! Je m'en vais de la maison, que diable ! Ils ne me comprennent pas et moi je ne les comprends pas non plus ! Je ne sais jamais de quoi ils parlent, et rien de ce qui m'intéresse n'a d'importance pour eux ! Dès demain je me tire ! J'irai n'importe où. »

Je me suis assis sur mon lit. Depuis déjà longtemps, je vivais dans une terrible confusion : je ne savais pas si j'étais cubain, ou américain, ou ni l'un ni l'autre, ou un mélange des deux. Quand les Cubains disaient du mal des États-Unis, cela me mettait en colère. Mais si quelqu'un me disait du mal de Cuba et des Cubains, je bondissais comme une bête féroce. Certaines choses chez les Cubains me semblaient ridicules. D'autres chez les Américains me paraissaient pires. Parfois je pensais m'en aller en Alaska, où il n'y aurait pas de Cubains. D'autres fois, je pensais même retourner à Cuba. Je parlais moitié anglais, moitié espagnol. Si l'on jouait l'hymne américain, cela m'énervait. Mais, si j'entendais l'hymne cubain, mes cheveux se dressaient sur ma tête. Tout cela, c'était de la faute de mes parents. Pourquoi m'ont-ils fait partir de Cuba ? Pourquoi ne m'ont-ils pas laissé là-bas, ou n'y sont-ils pas restés eux-mêmes, pour que je sois l'un ou l'autre, cubain ou américain, et non cet imbroglio que même moi je ne comprenais pas.

Enfin, comme il était tard, j'ai décidé de partir le lendemain de bonne heure.

Le matin, lorsque je suis sorti de ma chambre, j'ai trouvé mon père assis dans un fauteuil, un cendrier plein de mégots de cigares à côté de lui. Il avait l'air de ne pas avoir dormi. Je ne lui ai pas dit bonjour. C'est lui qui m'a appelé et m'a dit :

– Écoute, Kike, hier soir, après le départ de nos amis, j'ai appelé le docteur Hamilton.

– Dad ?

– Oui.

– Pourquoi ?

– Viens là. Assieds-toi.

Je me suis assis et il a commencé à parler lentement, comme s'il lui en coûtait :

– Nous avons passé quatre ans sans nous voir et nous ne voudrions pas nous séparer à nouveau de toi. Mais, si toi tu le veux, si tu es plus heureux avec eux, si tu les comprends mieux que nous, que pouvons-nous y faire ! Va-t-en ! Nous ne pouvons pas te forcer à nous aimer ! Le docteur dit que tu ailles le voir.

Il me regardait comme si c'était moi le père, et lui le fils.

Pour lui prouver une fois pour toutes que j'étais un homme, et que je faisais ce qui me plaisait, je suis allé dans ma chambre et j'ai commencé à rassembler mes affaires.

Soudain, maman est entrée, m'a vu et m'a dit :

– Que fais-tu ?

– Je m'en vais chez Dad.

– Qui l'a décidé ?

– Moi.

– Tu vas tuer ton père, mon garçon !

Maman est restée un moment déconcertée, sans savoir quoi faire, puis, subitement, elle m'a arraché une chemise que j'étais en train de plier et s'est écriée :

– Non, monsieur ! Vous resterez ici, avez-vous entendu ? Ici même ! Nous sommes ta famille, bonne ou mauvaise, meilleure ou pire, mais c'est ta famille. Et moi, je suis ta mère. Je t'ai mis au monde et je t'adore. Si nous devons traverser des moments diffi-ciles, nous les traverserons. Si nous devons nous adapter, nous nous adapterons. C'est cela : nous nous adapterons !

Alors, elle s'est mise à pleurer et s'est assise sur le lit. Puis, d'une voix plus faible, elle m'a dit :

– Je ne sais que trop par quoi tu as dû passer. Cela a été dur pour nous aussi. Tu verras que tout s'arrange, mon fils. Tout va s'arranger. Je vais bien apprendre l'anglais. Ton père comprendra le football américain, parce que, toi, tu vas le lui expliquer. Ici, chacun d'entre nous va faire un effort, chacun de son côté. Le principal, ce n'est pas de se comprendre, Kike, mais de vouloir se comprendre. De plus, mon fils, tu es cubain. Tu es né à Cuba, et nous, tes parents, que tu le veuilles ou non, sommes cubains. Écoute bien ceci : tu auras beau devenir citoyen américain, tes racines sont cubaines et tu t'appelles Jesús Lendián y Gómez. Le Gómez que tu portes, personne ne te l'en-lèvera, car tu l'as dans le sang, et, même si toi tu veux être américain, ils diront toujours que tu es cubain ! Il vaut mieux l'accepter et vivre fièrement avec ce que Dieu t'a donné. Il n'y a rien de pire que de vouloir être ce que l'on n'est pas ! Maintenant, ce que nous devons faire, c'est continuer sans jamais nous résigner ! D'accord ?

J'ai fait un signe de tête affirmatif, pas tant pour ce qu'elle m'avait dit qu'à cause de l'expression de ses yeux, de sa décision et de sa fermeté, car la vérité est une force.

– D'accord, ai-je répété.

Nous nous sommes embrassés. Je suis resté à la maison, mais il m'a fallu encore beaucoup de temps – des années ! – pour que j'arrive à comprendre mes parents et, ce qui est encore pire, à me comprendre moi-même.

Il fait une chaleur écrasante. J'ai vingt-sept ans et je suis à Cayo Hueso. Il y a deux semaines, dix mille Cubains ont presque pris d'assaut l'ambassade du Pérou à Cuba pour y trouver asile. Le monde a été ému en apprenant cette nouvelle. Fidel Castro a déclaré que tous ceux qui le voulaient pouvaient venir en bateau chercher leurs parents à Cuba.

Je suis debout sur ce quai de Cayo Hueso avec un groupe de volontaires. Nous sommes là pour attendre les bateaux bourrés de gens qui arrivent du port de Mariel à Cuba. Les bateaux accostent et les Cubains sautent à terre. Certains s'agenouillent et embrassent le sol.

On dirait des ombres : ils ont des yeux hagards, le teint olivâtre, et paraissent affamés. Ils ne savent pas ce qu'il adviendra d'eux, ni comment, ni quand ils reverront leurs enfants, leurs parents, les frères qu'ils ont laissés à Cuba. Ils n'ont que les vêtements qu'ils portent. Ils se mettent en rangs et marchent. Des hommes, des femmes, des enfants, des vieux, tous maigres et immigrants déracinés, marchent face à moi. Je sens que moi aussi, enfant seul comme il y a dix-huit ans, je marche avec eux.

J'ai la gorge nouée. Je voudrais leur dire que nous avons manifesté dans les rues de Miami pour qu'ils puissent venir, que tous ceux qui l'ont pu ont loué une embarcation ou bien ont hypothéqué leur maison, au besoin, pour aller les chercher. Je voudrais leur dire que nous avons constitué des comités et des organisations pour recueillir des vivres, des médicaments et des vêtements. Je voudrais leur dire qu'à l'intérieur de l'édifice, vers lequel ils marchent, il y a des tables où sont servis des repas chauds, et une Vierge de la Charité. Je voudrais leur dire aussi que l'un d'entre nous a même eu l'idée de mettre, au sommet de cet édifice, un immence écriteau : « Que le dernier qui sortira de Cuba éteigne la lumière. »

Mais je ne peux pas. Non, je ne peux pas. Les mots ne sortent pas. Je parviens seulement à tendre mon bras et à poser ma main sur la tête d'un enfant, peut-être sans parents comme moi je l'ai été, et je lui dis :

– Bienvenue, petit frère !

(1) *Visa waiver* : visa spécial accordé par les États-Unis aux enfants réfugiés de Cuba.

(2) « *Matecumbe* » : institution où l'on envoyait les enfants cubains exilés qui arrivaient aux États-Unis sans leurs parents.

(3) *Pitcher* : lanceur.

(4) *Child Welfare* : accueil des enfants.

(5) *Bohio* : habitation typique des paysans cubains.

(6) *Seminoles, Micosukis* : tous les Indiens de la Floride s'appellent ainsi, bien que, par leur origine, ils appartiennent à des tribus différentes. Ils parlent le *muscogee*, sauf les *Micosukis* qui parlent le *hitchiechi*.

(7) *Racoon* : raton laveur.

(8) *Carcajou* : blaireau d'Amérique.

(9) Une lieue : quatre kilomètres.

(10) *Beach* : plage
Beached : échoué (épave)

(11) *Hell ! Hell ! Damnyou !* : Au diable ! Soyez maudits !

(12) *Tamales* : pâtés de maïs, de viande et d'olives.